#홈스쿨링
#혼자공부하기

똑똑한
하루
여름

Chunjae
Makes
Chunjae

똑똑한 하루 여름 1-1

기획총괄	박진영
편집개발	김수신, 서춘원
디자인총괄	김희정
표지디자인	윤순미, 박민정
내지디자인	박희춘, 박종선
제작	황성진, 조규영
사진제공	게티이미지뱅크, 국립민속박물관, 삼척시립박물관, 셔터스톡, 제주특별자치도, 픽사베이

발행일	2022년 1월 15일 초판 2022년 1월 15일 1쇄
발행인	(주)천재교육
주소	서울시 금천구 가산로9길 54
신고번호	제2001-000018호
고객센터	1577-0902

※ 정답 분실 시에는 천재교육 교재 홈페이지에서 내려받으세요.

※ KC 마크는 이 제품이 공통안전기준에 적합하였음을 의미합니다.

※ 주의

책 모서리에 다칠 수 있으니 주의하시기 바랍니다.

부주의로 인한 사고의 경우 책임지지 않습니다.

8세 미만의 어린이는 부모님의 관리가 필요합니다.

똑똑한 하루 여름 1-1 스케줄표

공부한 후 활동 꾸러미 맨 뒤에 있는 스케줄표 붙임 딱지를 붙여 주세요.

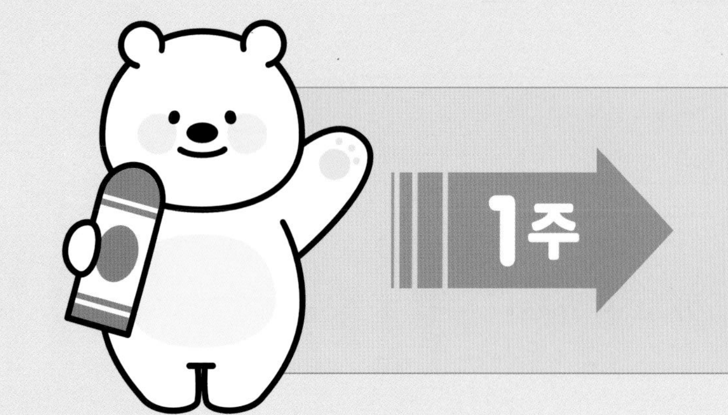

1주

1일 10~13쪽	2일 14~17쪽	3일 18~21쪽	4일 22~25쪽	5일 26~29쪽	특강 30~37쪽
가족사진 살펴보기 가족사진 만들기	나와 친척의 관계 가족 소개 카드 만들기	가족 달리기 놀이하기 가족 그림 그리기	가족에 대한 노래 부르기 가족과 함께한 일 그리기	가족 행사표 만들기 가족 운동회	누구나 100점 TEST + 창의·융합·코딩

2주

1일 42~45쪽	2일 46~49쪽	3일 50~53쪽	4일 54~57쪽	5일 58~61쪽	특강 62~69쪽
가족 간에 지켜야 할 예절 감사의 마음 전하기	가족을 위해 할 수 있는 일 우리 형제 노래 부르기	여름의 모습 관찰하기 해야 해야 나오너라	여름철 날씨와 생활 모습 에너지 절약 방법	부채 만들어 놀이하기 여름 느낌 표현하기	누구나 100점 TEST + 창의·융합·코딩

틀린 문제는 다시 한 번 살펴볼까?

3주

1일 74~77쪽	2일 78~81쪽	3일 82~85쪽	4일 86~89쪽	5일 90~93쪽	특강 94~101쪽
비 오는 여름날 생활 모습 비와 태풍의 영향	태풍 놀이하기 여러 가지 우산 만들기	물을 아껴 쓰는 방법 물 모으기 놀이하기	빗방울 표현하기 여름에 꼭 필요해 놀이하기	여름을 몸으로 표현하기 여름 모습 그리기	누구나 100점 TEST + 창의·융합·코딩

마무리 학습

104~107쪽	108~111쪽	112~115쪽	116~119쪽
신경향·신유형·서술형	기초 종합 정리 문제 1회	기초 종합 정리 문제 2회	학력 진단 TEST 1, 2회

똑똑한 하루
봄/여름/가을/겨울로 무엇을 배울까요?

초등학교 1~2학년의 바른 생활, 슬기로운 생활, 즐거운 생활 교과 내용을 배울 수 있어요.

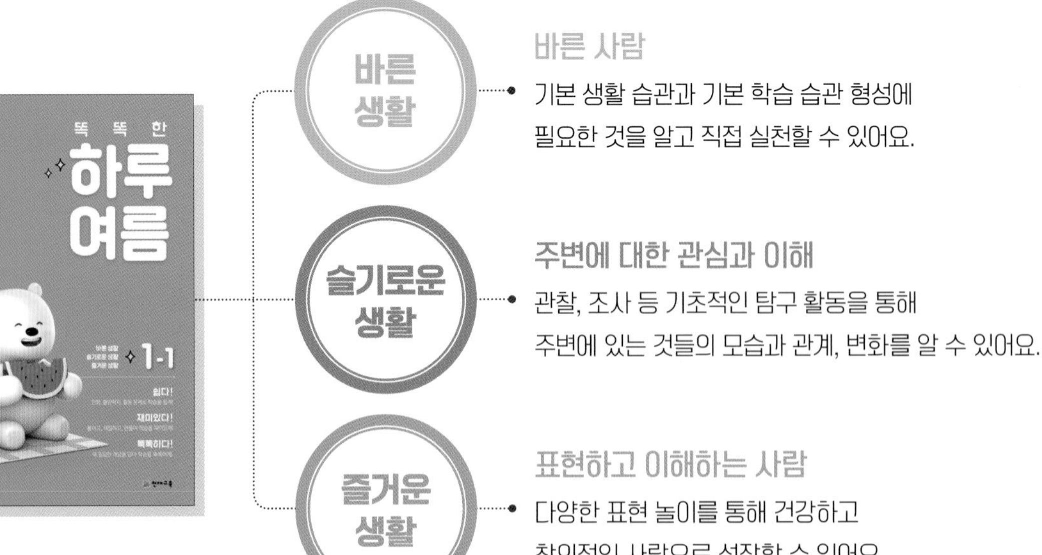

바른 생활 — 바른 사람
- 기본 생활 습관과 기본 학습 습관 형성에 필요한 것을 알고 직접 실천할 수 있어요.

슬기로운 생활 — 주변에 대한 관심과 이해
- 관찰, 조사 등 기초적인 탐구 활동을 통해 주변에 있는 것들의 모습과 관계, 변화를 알 수 있어요.

즐거운 생활 — 표현하고 이해하는 사람
- 다양한 표현 놀이를 통해 건강하고 창의적인 사람으로 성장할 수 있어요.

똑똑한 하루
봄/여름/가을/겨울은 어떻게 공부할까요?

1~2학년 총 8권

똑똑한 하루 봄(1~2학년)

똑똑한 하루 여름(1~2학년)

똑똑한 하루 가을(1~2학년)

똑똑한 하루 겨울(1~2학년)

- **매일 10분 학습**으로 핵심 개념을 쉽고 빠르게 익혀요.
- **만화로** 개념을 익히고, **활동 문제**를 풀면서 확인해요.
- **누구나 100점 TEST**로 실력을 확인해요.
- **창의·융합·코딩** 문제로 사고력과 이해력을 키워요.
- **다양한 평가 문제**를 풀며 학습을 마무리해요.
- **붙임 딱지 붙이기, 만들기, 그리기(색칠하기)** 등 다양한 활동을 해요.

똑 똑 한

하루 여름

바른 생활
슬기로운 생활
즐거운 생활

1-1

구성과 특징

주별 학습

한 주 미리보기

만화를 읽고 붙임 딱지 활동을 하며, 한 주 동안 공부할 내용을 미리 살펴봐요.

일일 학습

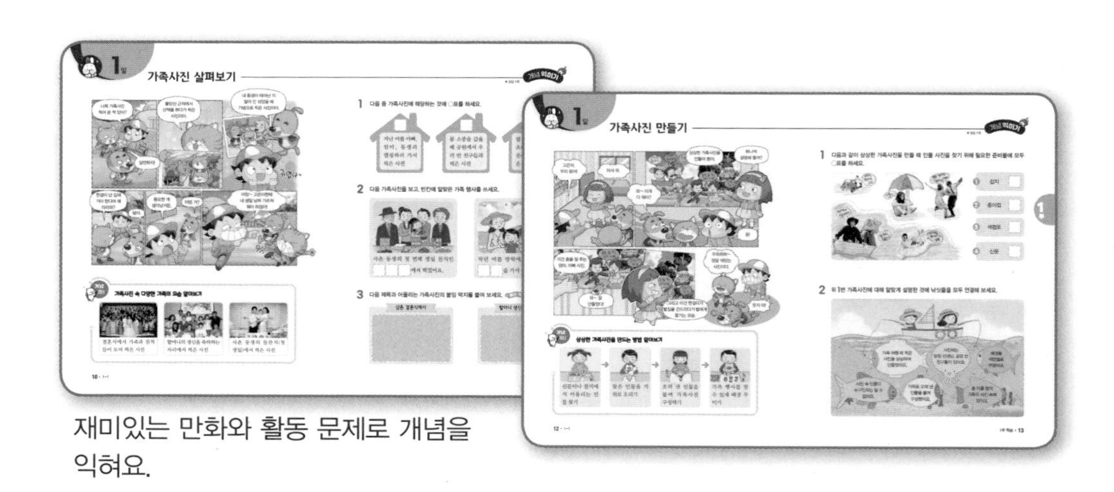

재미있는 만화와 활동 문제로 개념을 익혀요.

특강

누구나 100점 TEST

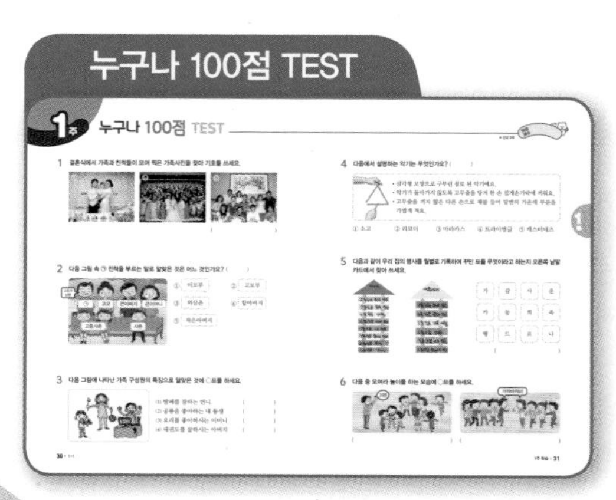

한 주 동안 공부한 내용을 확인해요.

창의 • 융합 • 코딩

창의 • 융합 • 코딩 문제로 사고력을 키워요.

마무리 학습

공부한 내용을 정리해요

신경향 · 신유형 · 서술형

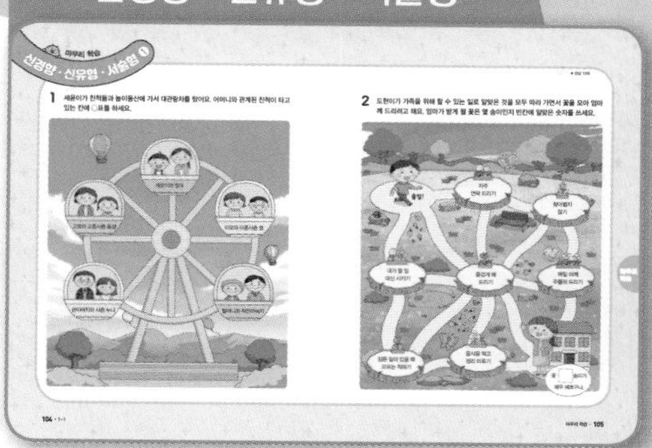

기초 종합 정리 문제

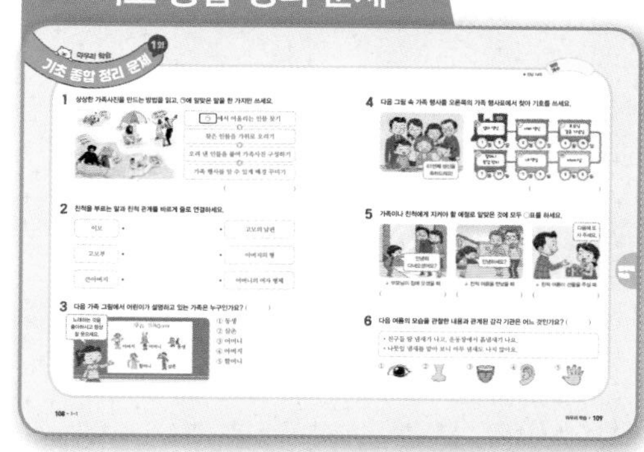

학력 진단 TEST

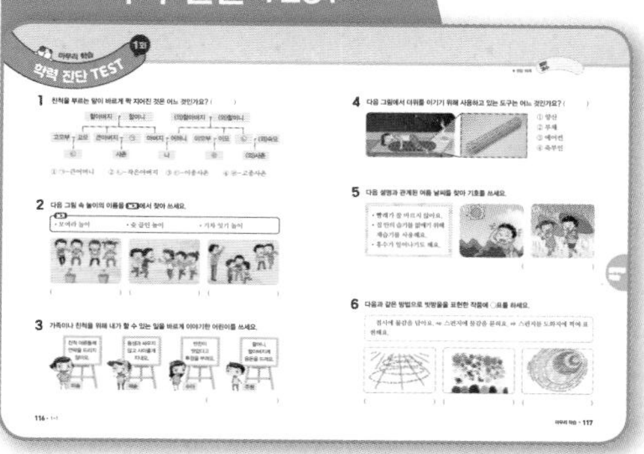

활동 꾸러미

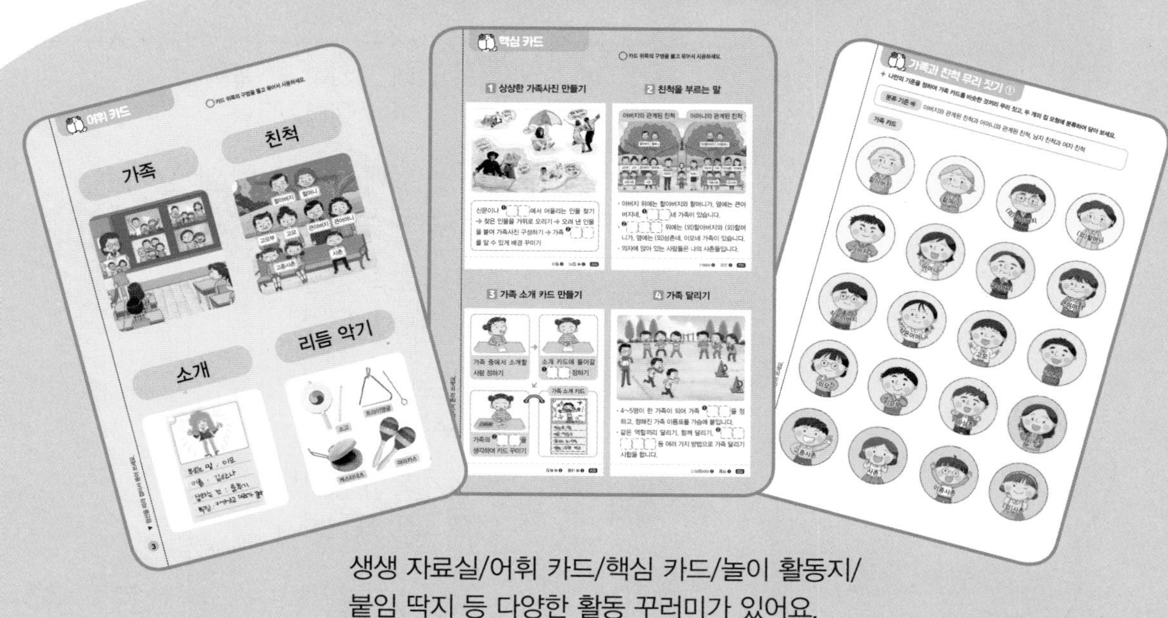

생생 자료실/어휘 카드/핵심 카드/놀이 활동지/
붙임 딱지 등 다양한 활동 꾸러미가 있어요.

공부할 내용

주별 학습

1주

2주

3주

마무리 학습

1주에는 무엇을 공부할까? ①

공부할 내용

- **1일** 가족사진 살펴보기 ~ 가족사진 만들기
- **2일** 나와 친척의 관계 ~ 가족 소개 카드 만들기
- **3일** 가족 달리기 놀이하기 ~ 가족 그림 그리기
- **4일** 가족에 대한 노래 부르기 ~ 가족과 함께한 일 그리기
- **5일** 가족 행사표 만들기 ~ 가족 운동회

오늘따라 한결이 잘 생겨 보이지 않아?
그러게. 정말 멋있네.

하하하~ 그럼 알려 주지! 고은이는 아버지와 관계된 친척으로 나랑 사촌이야.

쿡, 한결이는 단순하다니까.
맞아.
너희들…….

벽에 붙어 있는 게 뭐지?
한결이네 가족 행사표?

흐흐, 세 번째 행사가 제일 중요한 행사니까 잘 봐.
세 번째?

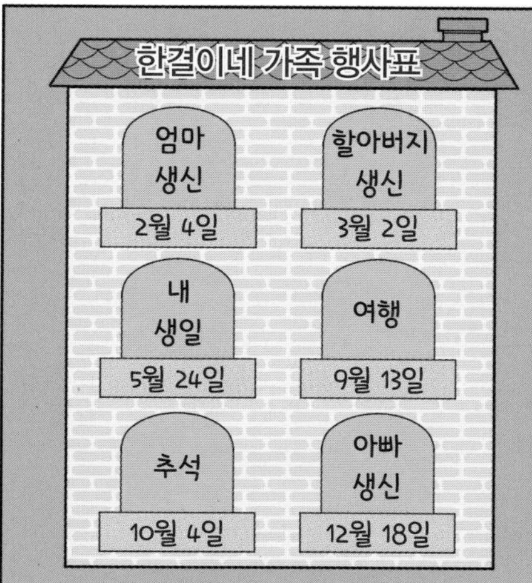

5월 24일

9월 13일

일주일 후면 내 생일이니까 선물 많이 사 와야 돼.

참, 고은이 집에 가기로 한 걸 깜빡했다.
내 생일 선물 절대 잊으면 안 돼~!

1주에는 무엇을 공부할까? ②

다음 가족사진 속 가족 행사와 어울리는 붙임 딱지를 붙여 보세요. 붙임 딱지 1

비어 있는 부분에 알맞은 붙임 딱지를 붙이고, 다른 붙임 딱지들도 자유롭게 붙이면서 가족사진을 꾸며 보도록 해요.

1주

가족사진 살펴보기

가족사진 속 다양한 가족의 모습 알아보기

결혼식에서 가족과 친척들이 모여 찍은 사진

할머니의 생신을 축하하는 자리에서 찍은 사진

사촌 동생의 돌잔치(첫 생일)에서 찍은 사진

+ 정답 1쪽

1 다음 중 가족사진에 해당하는 것에 ○표를 하세요.

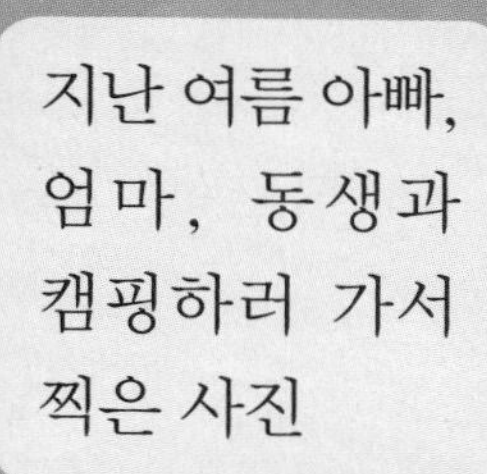

지난 여름 아빠, 엄마, 동생과 캠핑하러 가서 찍은 사진

봄 소풍을 갔을 때 공원에서 우리 반 친구들과 찍은 사진

옆집 집들이에 초대를 받아 이웃들과 함께 찍은 사진

2 다음 가족사진을 보고, 빈칸에 알맞은 가족 행사를 쓰세요.

사촌 동생의 첫 번째 생일 잔치인 ☐☐☐에서 찍었어요.

작년 여름 방학에 바닷가로 가족 ☐☐을 가서 찍었어요.

3 다음 제목과 어울리는 가족사진의 붙임 딱지를 붙여 보세요. 붙임 딱지 1

삼촌 결혼식에서

할머니 생신 잔치에서

1일 가족사진 만들기

상상한 가족사진을 만드는 방법 알아보기

신문이나 잡지에서 어울리는 인물 찾기

→

찾은 인물을 가위로 오리기

→

오려 낸 인물을 붙여 가족사진 구성하기

→

가족 행사를 알 수 있게 배경 꾸미기

+ 정답 1쪽

1 다음과 같이 상상한 가족사진을 만들 때 인물 사진을 찾기 위해 필요한 준비물에 모두 ○표를 하세요.

① 잡지 ☐

② 종이컵 ☐

③ 색점토 ☐

④ 신문 ☐

2 위 **1**번 가족사진에 대해 알맞게 설명한 것에 낚싯줄을 모두 연결해 보세요.

가족 여행 때 찍은 사진을 상상하여 만들었어요.
사진에는 담임 선생님, 같은 반 친구들이 있어요.
배경을 색연필로 꾸몄어요.
사진 속 인물이 누구인지는 알 수 없어요.
가위로 오려 낸 인물을 붙여 구성했어요.
총 아홉 명의 가족이 사진 속에 있어요.

2일

나와 친척의 관계

우리 집에 왔으니까 가족 말판 놀이 어때?
좋아. 지는 팀이 딱밤 맞기!
네 칸 앞으로. 정답은?
아버지의 부모님
ㅎㅇㅂㅈ ㅎㅁㄴ
폭탄!
할아버지, 할머니!
두 칸 앞으로 가면?
아버지의 누나 또는 여동생
ㄱㅁ
고모!
2만 나오면 도착이지?
맞아. 그럼 우리가 우승해.
1
나 와라!
와~ 2다!
으아악~ 안 돼.
가족 말판 놀이 한 판 더 할까?
싫어. 안 해!
개념 콕!
친척을 부르는 말 알아보기
아버지와 관계된 친척
어머니와 관계된 친척
맨 위에는 부모님의 부모님, 가운데에는 부모님의 형제자매, 의자에는 사촌들이 있어요.
할아버지
할머니
(외)할아버지
(외)할머니
고모부
고모
큰아버지
큰어머니
아버지
나
어머니
이모부
이모
(외)삼촌
(외)숙모
고종사촌
사촌
이종사촌
(외)사촌

✚ 정답 1쪽

1 아버지, 어머니와 관계된 친척을 나타낸 그림을 보고, ㉠~㉢에 알맞은 말을 쓰세요.

㉠ ( ) ㉡ ( ) ㉢ ( )

2 다음에서 설명하는 '이 사람'을 오른쪽 카드에서 찾아 ○표를 하세요.

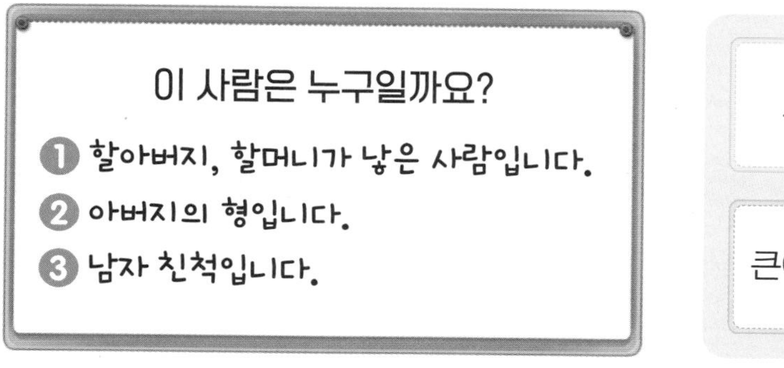

이 사람은 누구일까요?
1 할아버지, 할머니가 낳은 사람입니다.
2 아버지의 형입니다.
3 남자 친척입니다.

고모
이모부
외삼촌
큰아버지
고종사촌
작은 어머니

3 가족 말판 놀이를 하려고 해요. 출발 지점에서 주사위를 던져 ⚃이 나왔을 때 해당하는 문제 칸의 정답을 쓰세요.

출발 ↓	도착	폭탄이 펑! 처음으로	큰아버지, 큰어머니의 아들, 딸	짝과 가위바위보! 이기면 앞으로 3칸, 지면 처음부터 시작	어머니의 언니 또는 여동생
어머니의 부모님	놀이 방법				앞으로 2칸
선생님과 가위바위보! 이기면 앞으로 3칸, 지면 뒤로 2칸 이동	• 주사위 숫자가 나온 만큼 자신의 말을 옮겨요. • 말이 이동한 칸의 문제를 풀거나 임무를 수행해요. • 정확하게 '도착' 지점에 말이 도착하는 사람이 놀이에서 이겨요.				아버지의 누나 또는 여동생
아버지의 형	폭탄이 펑! 처음으로	아버지의 부모님	고모가 결혼하면 ㄱㅁㅂ가 생겨요.	앞으로 2칸	어머니의 오빠 또는 남동생

( )

가족 소개 카드 만들기

가족 소개 카드 만드는 방법 알아보기

소개할 사람 정하기	가족 중에서 친구들에게 소개하고 싶은 가족을 정합니다.
↓	
소개할 내용 정하기	부르는 말, 이름, 좋아하는 것, 하는 일 등을 적습니다.
↓	
카드 꾸미기	소개하려는 가족의 얼굴 표정과 특징을 생각하며 그리기, 종이 찢기, 오려 붙이기 등의 방법으로 카드를 꾸밉니다.

✚ 정답 1쪽

1 다음 어린이가 가족 소개 카드에 그릴 가족의 모습으로 알맞은 것에 ○표를 하세요.

나는 가족 소개 카드에 농촌에서 농사를 지으시는 삼촌의 모습을 그려야지.

1주

2 다음은 가족 소개 카드를 만드는 과정이에요. 빈칸에 알맞은 말을 쓰세요.

❶ 친구들에게 소개하고 싶은 가족 정하기

❷ 가족 소개 카드에 들어갈 ☐☐ 정하기

❸ 다양한 방법으로 카드 꾸미기

3 다음 가족 소개 카드를 보고, (　　) 안의 알맞은 말에 ○표를 하세요.

- 부르는 말: 형
- 이름: 전승우
- 잘하는 것: (영어 , 수학)
- 별명: 걸어 다니는 계산기

그림과 별명을 보고 무엇을 잘하는지 알 수 있어요.

가족 달리기 놀이하기

가족 달리기 놀이하는 방법 알아보기

가족 역할 정하기	4~5명이 한 가족이 되어 정해진 가족 이름표를 가슴에 붙입니다.

여러 가지 방법으로 가족 달리기 시합하기

같은 역할끼리 달리기

함께 달리기

이어달리기

+ 정답 2쪽

1 가족 달리기를 할 때 이름표를 잘못 붙인 친구를 찾아 ○표를 하세요.

1주

2 가족 달리기를 하는 모습을 보고, 복잡하게 엉켜 있는 줄을 따라가 빈칸에 알맞은 달리기 방법을 쓰세요.

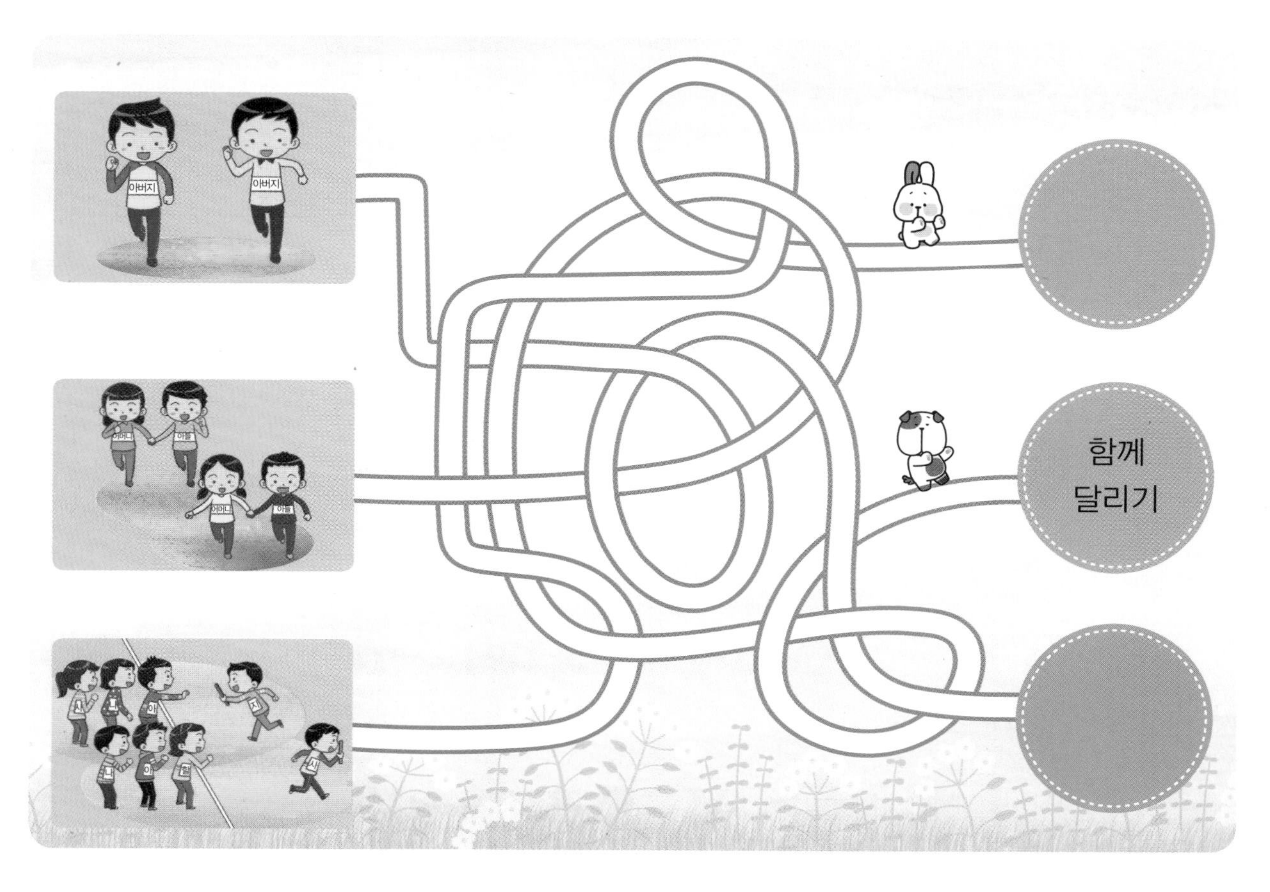

가족 그림 그리기

가족 그림 그리고 소개하기

가족의 특징을 살려 그리고 색칠합니다.

색칠을 마친 그림을 가위로 오립니다.

내가 그린 가족 그림을 전시한 후, 소개합니다.

+ 정답 2쪽

1 다음 어린이가 설명하고 있는 가족 그림으로 알맞은 것에 ○표를 하세요.

태권도 사범인 우리 아버지는 키도 크고 매우 용감하십니다. 우리 어머니는 노래하는 것을 좋아하시고 항상 잘 웃으십니다. 어머니 옆에 있는 제 동생은 공룡 박사입니다.

( ) ( ) ( )

2 다음 가족의 특징에 알맞은 붙임 딱지를 붙여 가족 그림을 완성해 보세요. 붙임 딱지 ①

- 컴퓨터를 잘하시는 아버지
- 요리하는 것을 좋아하시는 어머니
- 지팡이를 짚고 다니시는 할머니
- 노래를 잘하는 내 동생

가족에 대한 노래 부르기

개념 콕! 여러 가지 리듬 악기 연주하는 방법 알아보기

소고 한 손으로 소고의 자루를 가볍게 모아 쥐고, 다른 손에 든 소고 채로 여러 가지 동작을 하며 소고의 북면을 칩니다.

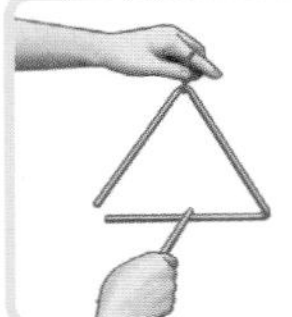

트라이앵글 고무줄을 한 손 집게손가락에 끼우고, 다른 손으로 채를 들어 밑변 가운데 부분을 가볍게 칩니다.

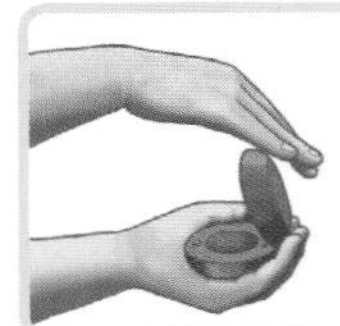

캐스터네츠 한 손의 손바닥 위에 올려놓고, 다른 손의 집게손가락과 가운뎃손가락으로 함께 칩니다.

✚ 정답 2쪽

1 다음 노래 제목의 빈칸에 알맞은 말을 쓰세요.

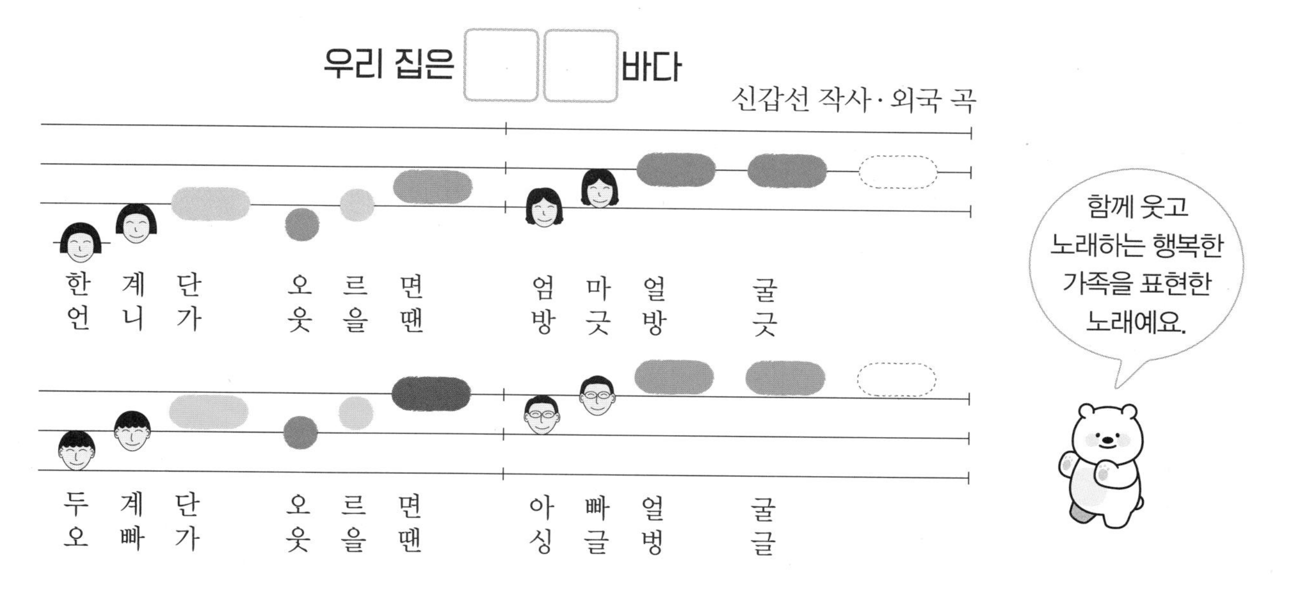

우리 집은 바다
신갑선 작사 · 외국 곡
한 계 단 오 르 면 엄 마 얼 굴
언 니 가 웃 을 땐 방 긋 방 긋
두 계 단 오 르 면 아 빠 얼 굴
오 빠 가 웃 을 땐 싱 글 벙 글
함께 웃고 노래하는 행복한 가족을 표현한 노래예요.

2 위 1번 노래를 트라이앵글과 캐스터네츠로 박을 치며 노래하려고 해요. 보기를 참고하여 빈칸에 알맞은 악기 붙임 딱지를 붙여 보세요. 붙임 딱지 1

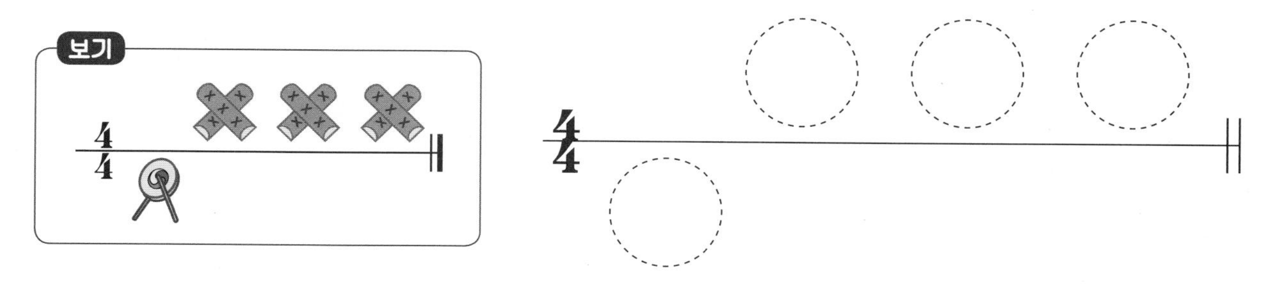

3 다음 세 고개 놀이의 정답을 오른쪽 카드에서 찾아 ○표를 하세요.

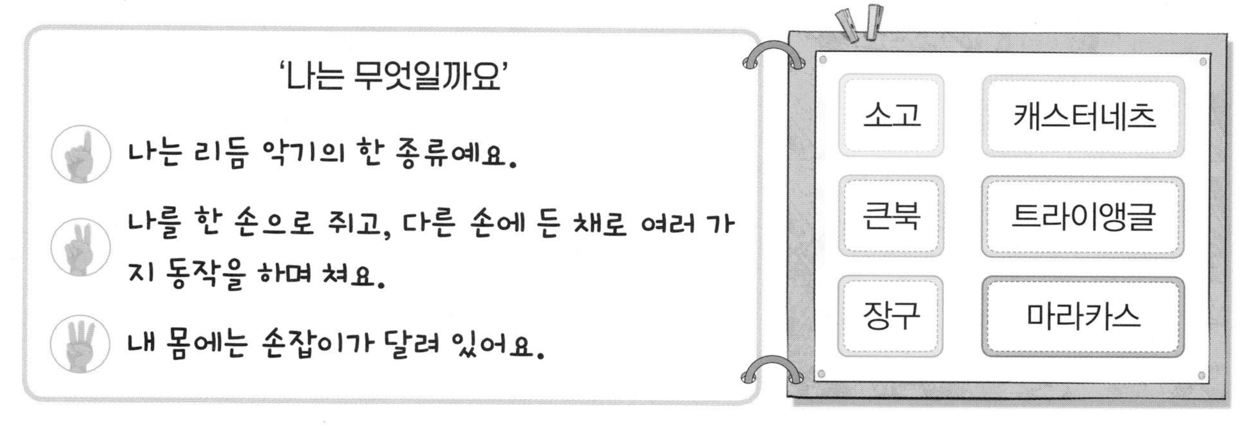

가족과 함께한 일 그리기

가족과 함께한 일을 그림으로 표현하는 방법 알아보기

재료 선택하기

예 크레파스, 색연필, 사인펜

장면 정하기

예 이모 결혼식, 사촌 동생 돌잔치

밑그림 그리기

색칠하여 그림 완성하기

가족과 소풍을 갔던 날의 모습을 나타냈어요.

1 다음 초대장과 관련하여 가족과 함께한 일을 오른쪽 카드에서 찾아 쓰세요.

2 가족과 함께한 일을 그림으로 표현할 때 필요한 재료에 모두 ○표를 하세요.

크레파스	축구공	색연필	요구르트 병
			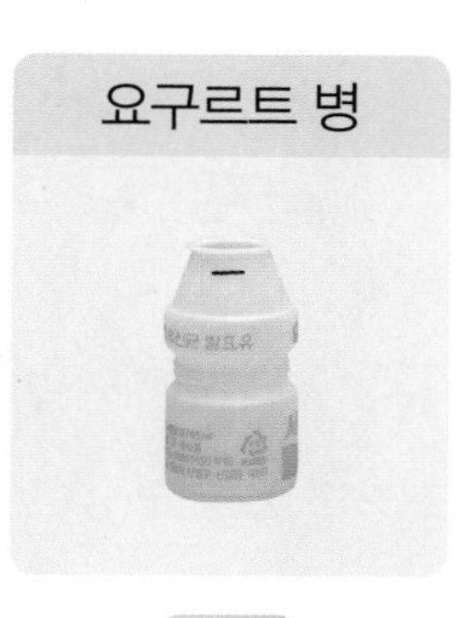
☐	☐	☐	☐

3 다음 그림에 나타난 가족과 함께한 일로 알맞은 것에 ○표를 하세요.

① 이모 결혼식에 참석한 일 ☐

② 설날에 친척들과 윷놀이를 한 일 ☐

③ 가족과 소풍을 가서 도시락을 먹었던 일 ☐

가족 행사표 만들기

대표적인 가족 행사의 종류 알아보기

생일	환갑 잔치	명절	제사
태어난 날을 기념하여 해마다 기리는 날	예순 한 살이 되는 해의 생일날을 기념하기 위한 잔치	설날(음력 1월 1일), 단오(음력 5월 5일), 추석(음력 8월 15일) 등	돌아가신 분을 기리기 위해 음식을 바치며 정성을 나타내는 의식

✚ 정답 3쪽

1 다음 달력에 표시된 날과 같이 해마다 가족과 친척이 모여 함께하는 날을 부르는 말을 쓰세요.

2월
1.1
설날

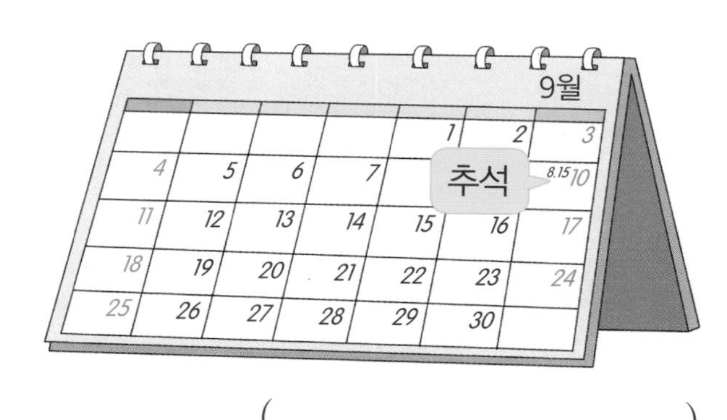

(　　　　　　　　　　)

2 다음 가족 행사표에 어울리는 가족 행사로 알맞은 것에 모두 ○표를 하세요.

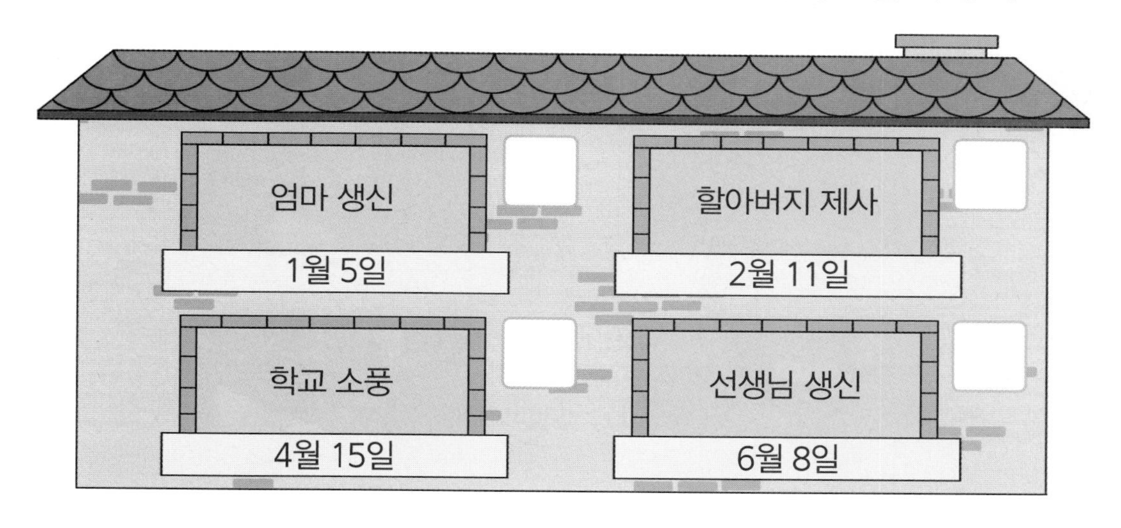

3 다음 일기의 빈칸에 알맞은 가족 행사를 위 **2**번 가족 행사표에서 찾아 쓰세요.

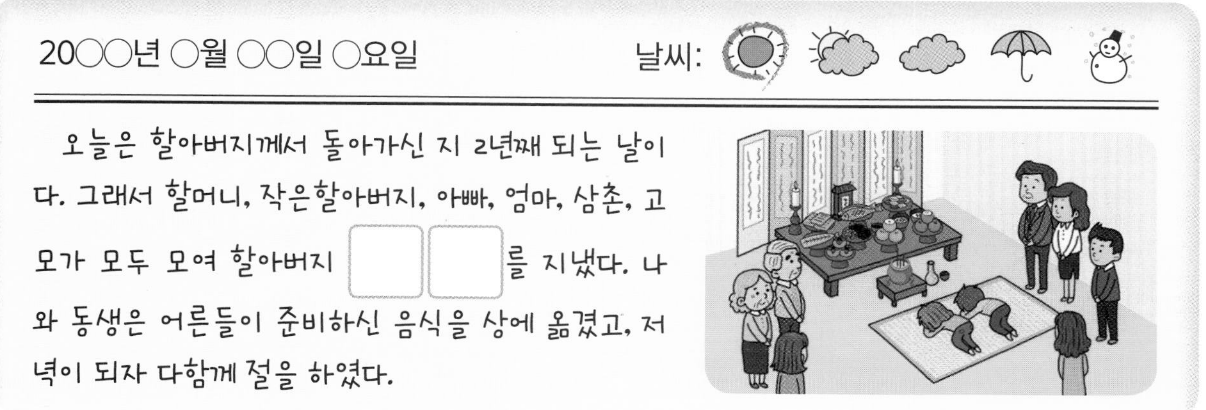

가족 운동회

노래 듣기

가족 운동회에서 할 수 있는 놀이 더 알아보기

기차 잇기 놀이

선생님의 호각 소리를 듣고 옆 친구와 가위바위보 하기 ➡ 진 사람은 이긴 사람의 뒤로 가서 허리 부분을 잡고 따라다니기 ➡ 마지막까지 남는 편이 승리

숫 골인 놀이

네 명이 한 가족 만들기 ➡ 차례대로 바구니에 콩 주머니 던지기 ➡ 계속해서 던져서 콩 주머니를 바구니에 많이 넣은 편이 승리

+ 정답 3쪽

1 모여라 놀이를 할 때 부를 수 있는 노래로 알맞은 것에 ◯표를 하세요.

빙빙 돌아라

손을 잡고 왼쪽으로 빙빙 돌아라
손을 잡고 오른쪽으로 빙빙 돌아라
뒤로 살짝 물러났다 앞으로 다시 들어가
손뼉 치며 빙빙 돌아라

(　)

쑥쑥 자라라

시루 안에 예쁜 콩들이 모여 있어요
얼마만큼 키가 자랄지 궁금하네요
콩나물 콩에 물을 주었죠 싹이 났어요
콩나물 콩이 잘 자랐죠 예뻐졌어요

(　)

2 다음 모여라 놀이를 하는 모습을 보고, ☐ 안에 알맞은 숫자 카드에 ◯표를 하세요.

1　　3　　5　　7

3 다음 숏 골인 놀이를 한 결과를 보고, 놀이에서 이긴 모둠의 이름을 쓰세요.

(　　　　　　　　)

누구나 100점 TEST

1 결혼식에서 가족과 친척들이 모여 찍은 가족사진을 찾아 기호를 쓰세요.

(　　　　　　　　)

2 다음 그림 속 ㉠ 친척을 부르는 말로 알맞은 것은 어느 것인가요? (　　　)

① 이모부　② 고모부　③ 외삼촌　④ 할아버지　⑤ 작은아버지

3 다음 그림에 나타난 가족 구성원의 특징으로 알맞은 것에 ○표를 하세요.

(1) 발레를 잘하는 언니 (　　　)
(2) 공룡을 좋아하는 내 동생 (　　　)
(3) 요리를 좋아하시는 어머니 (　　　)
(4) 태권도를 잘하시는 아버지 (　　　)

4 **다음에서 설명하는 악기는 무엇인가요? (　　　　)**

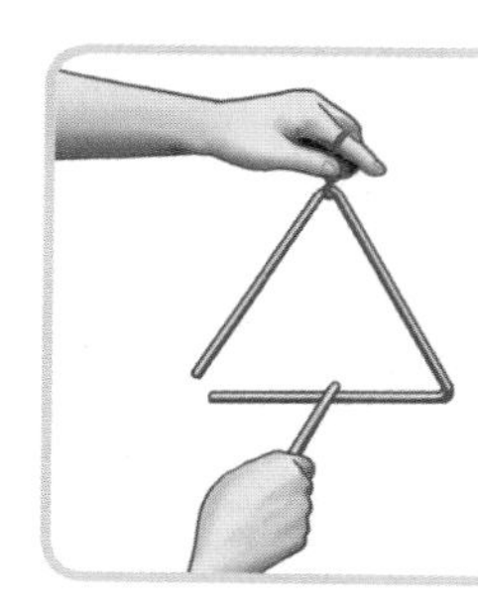

- 삼각형 모양으로 구부린 철로 된 악기예요.
- 악기가 돌아가지 않도록 고무줄을 당겨 한 손 집게손가락에 끼워요.
- 고무줄을 끼지 않은 다른 손으로 채를 들어 밑변의 가운데 부분을 가볍게 쳐요.

① 소고　② 리코더　③ 마라카스　④ 트라이앵글　⑤ 캐스터네츠

5 **다음과 같이 우리 집의 행사를 월별로 기록하여 꾸민 표를 무엇이라고 하는지 오른쪽 낱말 카드에서 찾아 쓰세요.**

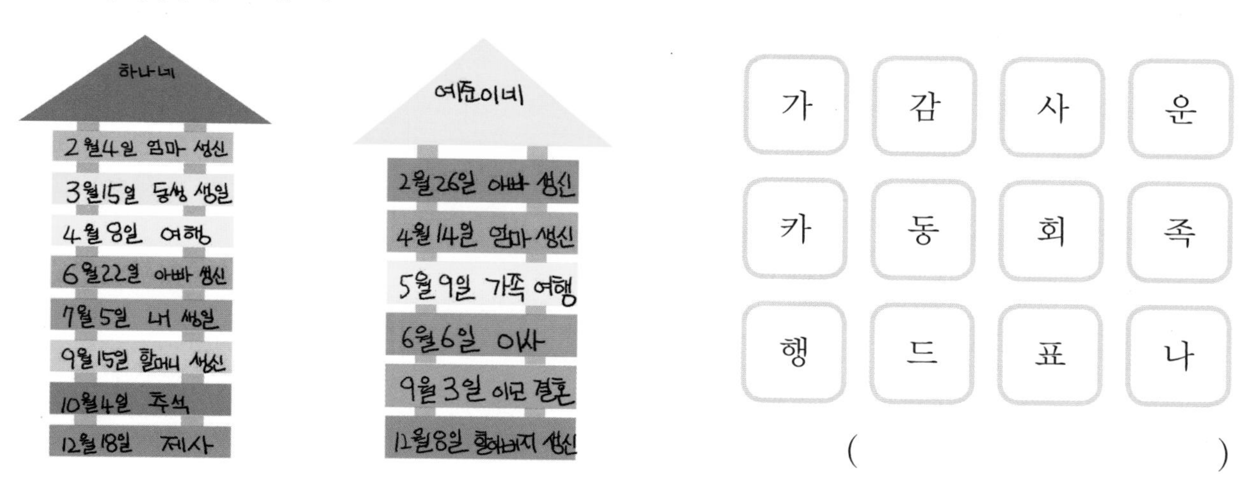

(　　　　　　　　)

6 **다음 중 모여라 놀이를 하는 모습에 ○표를 하세요.**

(　　　　　　　　)

(　　　　　　　　)

생각을 넓혀요

누이 좋고 매부 좋다

+ 정답 4쪽

1주

'누이 좋고 매부 좋다.'라는 속담에 대해 알아봐요!

누이는 같은 부모님에게서 태어난 사람들 중 남자가 여자 형제를 이르는 말이고, 매부는 누이의 남편을 말해요. '누이 좋고 매부 좋다.'는 누이에게 좋은 일이면 누이의 남편인 매부에게도 좋다는 말로, 어떤 일이 양쪽 모두에게 이롭고 좋다는 것을 비유적으로 이르는 것이지요.

어떤 일이 양쪽 모두에게 이롭고 좋다는 뜻의 속담은?

답 ☐☐ 좋고 ☐☐ 좋다

생각을 키워요

융합

1 은우네 반 친구들이 가족과 함께 찍은 사진을 전시하였어요. 설명을 읽고, 빈칸에 알맞은 숫자를 써 보세요.

은우네 가족

놀이공원에서 놀이 기구를 타기 전에 가족이 함께 찍은 사진으로, 가족 구성원이 총 3명이에요.

로아네 가족

아버지 생신을 축하하는 자리에서 가족이 함께 찍은 사진으로, 은우네 가족보다 ❶ ☐ 명이 더 많아요.

도현이네 가족

도현이 형 졸업식에서 가족이 함께 찍은 사진으로, 로아네 가족보다 ❷ ☐ 명이 더 적어요.

채원이네 가족

채원이 동생 돌잔치에서 가족이 함께 찍은 사진으로, 도현이네 가족보다 ❸ ☐ 명이 더 많아요.

창의

2 나현이가 고모의 생일을 맞아 고모 집에 가려고 해요. 친척을 부르는 말로 알맞은 것을 따라 고모 집까지 가는 길을 선으로 이어 보세요.

생각을 키워요

코딩

3 민호는 학급 음악회에 필요한 악기를 사기 위해 악기 상점에 갔어요. 코딩 명령을 따라 갈 때 살 수 있는 악기에 모두 ○표를 하세요.

코딩 명령

출발에서 이동을 시작했을 때
⬇ 방향으로 2칸 이동하기
➡ 방향으로 3칸 이동하기
⬆ 방향으로 2칸 이동하기

코딩 명령 풀이
아래쪽으로 두 칸,
오른쪽으로 세 칸,
위쪽으로 두 칸
이동해요.

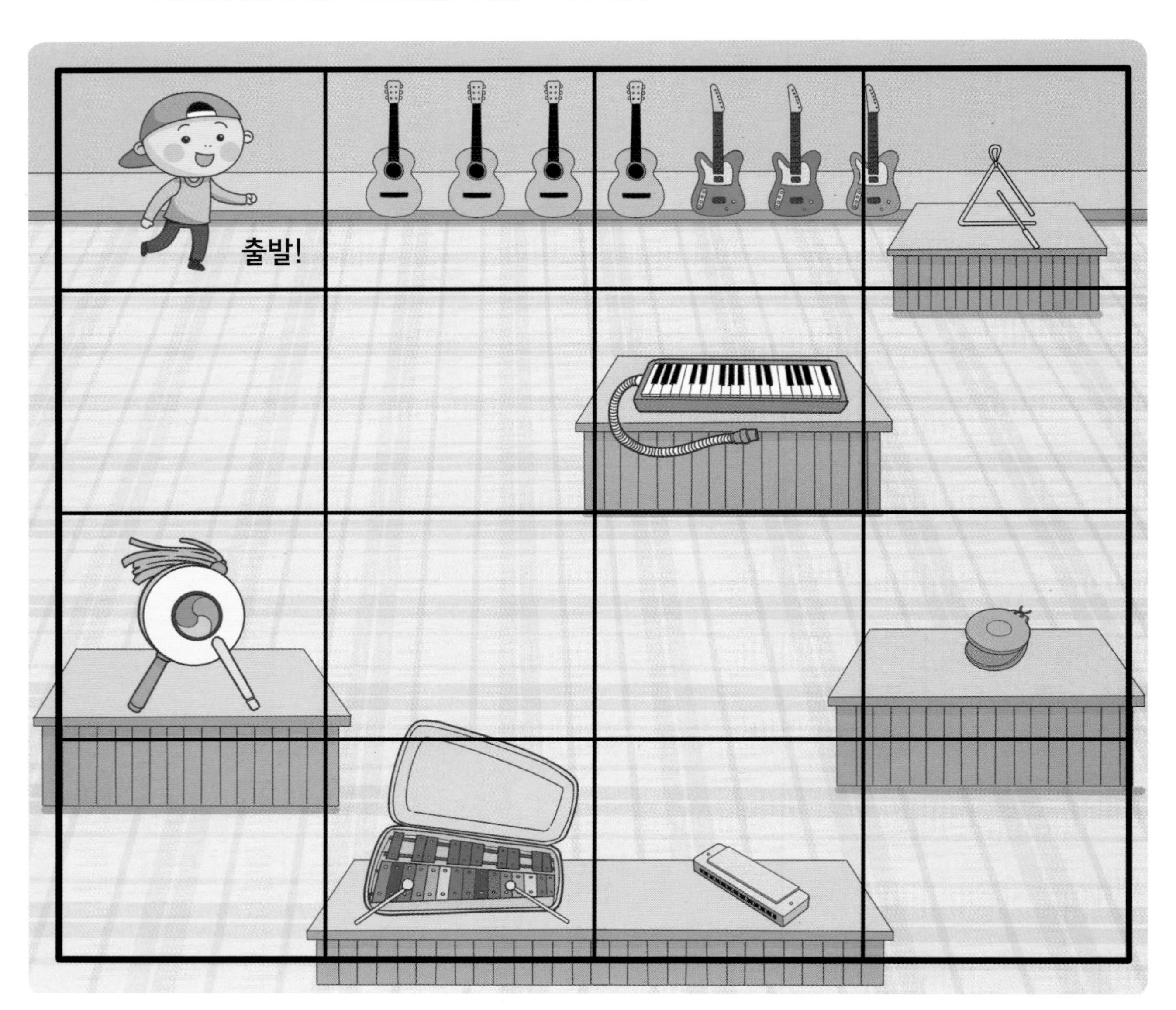

창의

4 가족 행사에 대한 설명을 읽고, 사다리를 타고 내려가 빈칸에 알맞은 붙임 딱지를 붙여 가족 행사표를 완성해 보세요. 붙임 딱지 1

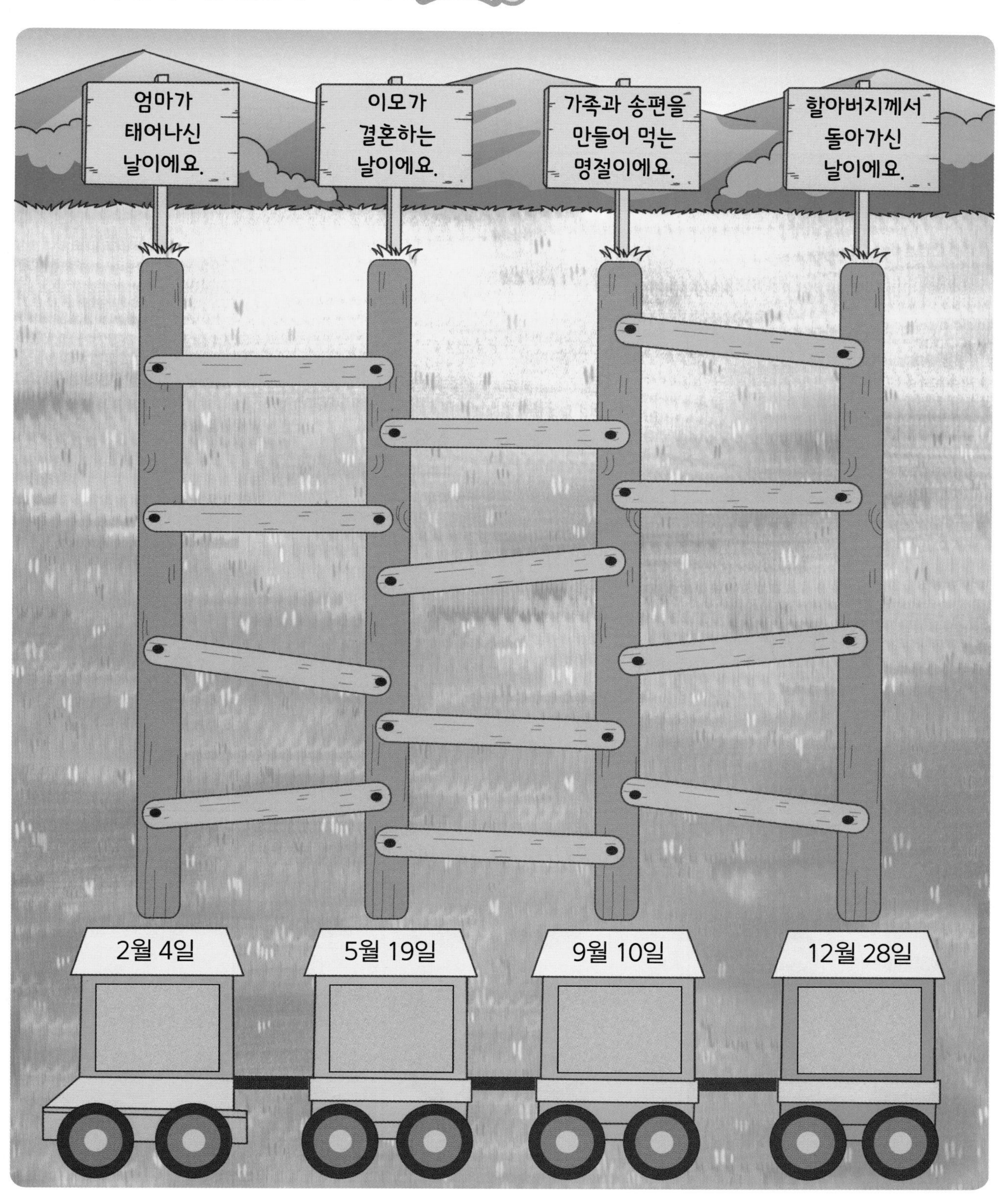
엄마가 태어나신 날이에요.
이모가 결혼하는 날이에요.
가족과 송편을 만들어 먹는 명절이에요.
할아버지께서 돌아가신 날이에요.
2월 4일
5월 19일
9월 10일
12월 28일

2주에는 무엇을 공부할까? ①

공부할 내용

1일 가족 간에 지켜야 할 예절~ 감사의 마음 전하기

2일 가족을 위해 할 수 있는 일 ~ 우리 형제 노래 부르기

3일 여름의 모습 관찰하기 ~ 해야 해야 나오너라

4일 여름철 날씨와 생활 모습 ~ 에너지 절약 방법

5일 부채 만들어 놀이하기 ~ 여름 느낌 표현하기

2주

2주 2주에는 무엇을 공부할까? ❷

✪ 무더운 여름날 사람들의 생활 모습에 알맞은 붙임 딱지를 붙여 보세요. 붙임 딱지 2

비어 있는 부분에 알맞은 붙임 딱지를 붙이고, 다른 붙임 딱지들도 자유롭게 붙이면서 여름 동산을 꾸며 보도록 해요.

2주

1일 가족 간에 지켜야 할 예절

개념 콕! 상황에 맞는 예절 바른 행동 알아보기

집에 가족과 있을 때

- 학교에 갈 때 부모님께 "다녀오겠습니다."라고 인사합니다.
- 부모님이 집에 오셨을 때 현관으로 나가서 인사합니다.

친척 어른들과 있을 때

- 친척 어른을 만나면 앞으로 가서 인사합니다.
- 친척 어른이 선물을 주시면 감사 인사를 드립니다.
- 친척이 가실 때 같이 일어나서 배웅합니다.

전화를 걸거나 받을 때

- 전화를 걸 때 인사를 하고 내가 누군지 말합니다.
- 전화를 받을 때 상대방을 확인한 후 인사합니다.
- 어른이 전화를 끊은 것을 확인하고 끊습니다.

✚ 정답 5쪽

1 다음 상황에 알맞은 인사말의 붙임 딱지를 붙여 보세요. 붙임 딱지 2

2 상황에 맞는 예절 바른 행동에 ○표를 하세요.

2주

감사의 마음 전하기

감사 카드 만드는 방법 알아보기

도화지를 반으로 접기 ➡ 친척을 그리고 색칠하기 ➡ 그림을 잘라서 붙이기 ➡ 글을 쓰고 꾸미기

흰 도화지 반으로 접기 ➡ 색 도화지를 반으로 접어 둥글게 자르기 ➡ 흰 도화지에 색 도화지 붙이기 ➡ 글을 쓰고 꾸미기

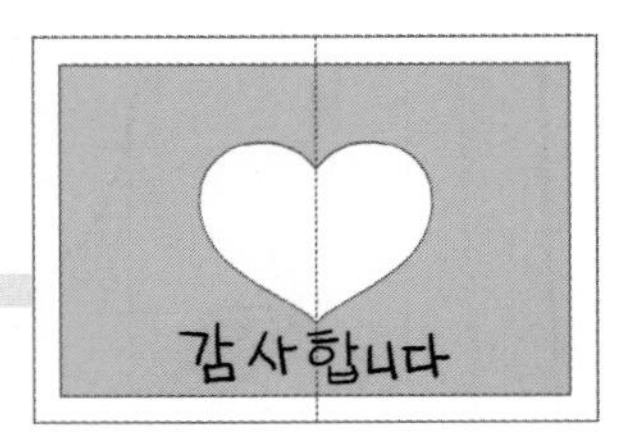

+ 정답 5쪽

1 감사 카드를 만들어 줄 수 있는 가족으로 알맞은 사람에 ○표를 하세요.

나를 항상 보살펴 주시는 부모님 ☐	함께 놀다가 자주 다투는 같은 반 친구 ☐	다른 지역으로 이사를 가는 옆집 아주머니 ☐

2 다음 감사 카드를 만드는 방법을 알맞게 줄로 연결하세요.

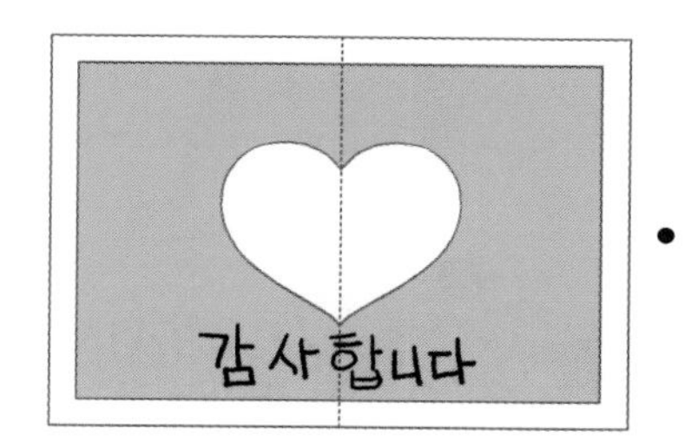

- 도화지를 반으로 접기 ➡ 친척을 그리고 색칠하기 ➡ 그림을 잘라서 붙이기 ➡ 글을 쓰고 꾸미기
- 색 도화지를 반으로 접어 둥글게 자르기 ➡ 흰 도화지에 색 도화지 붙이기 ➡ 글을 쓰고 꾸미기

3 다음 어린이가 이모에게 마음을 표현할 수 있도록 빈칸에 알맞은 말을 쓰세요.

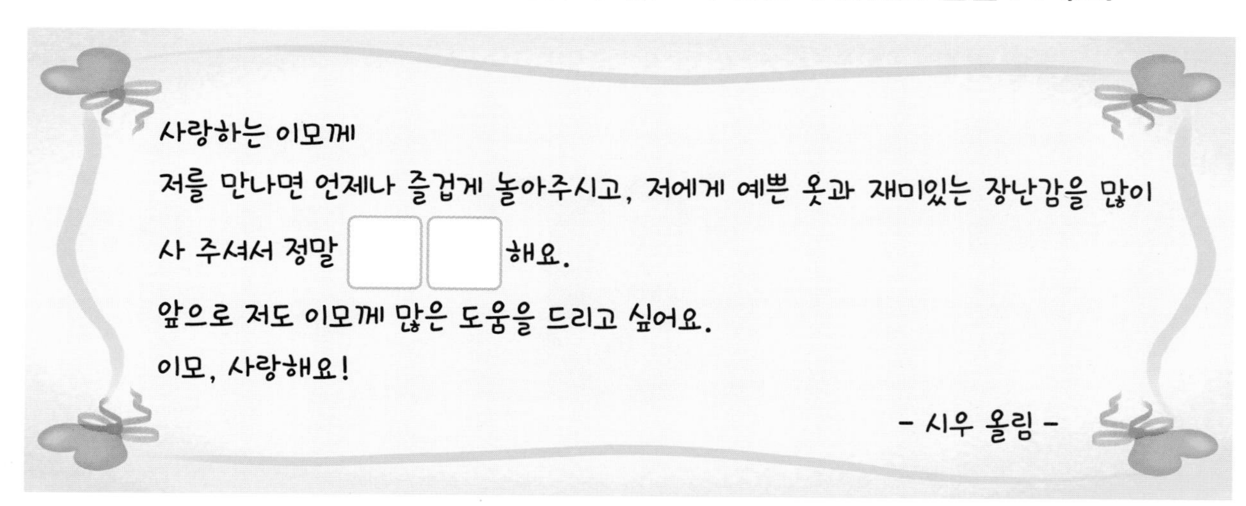

사랑하는 이모께
저를 만나면 언제나 즐겁게 놀아주시고, 저에게 예쁜 옷과 재미있는 장난감을 많이 사 주셔서 정말 ☐☐ 해요.
앞으로 저도 이모께 많은 도움을 드리고 싶어요.
이모, 사랑해요!

- 시우 올림 -

2일 가족을 위해 할 수 있는 일

개념 콕!

가족을 위해 내가 할 수 있는 일 알아보기

- 자주 연락 드리기
- 자주 찾아뵙기
- 사이좋게 지내기
- 즐겁게 해 드리기

- 위로해 드리기
- 꼭 안아 드리기
- 매일 어깨 주물러 드리기
- 식사 후 함께 정리하기

✚ 정답 5쪽

1 가족을 위해 할 수 있는 일로 알맞은 것에 모두 ○표를 하세요.

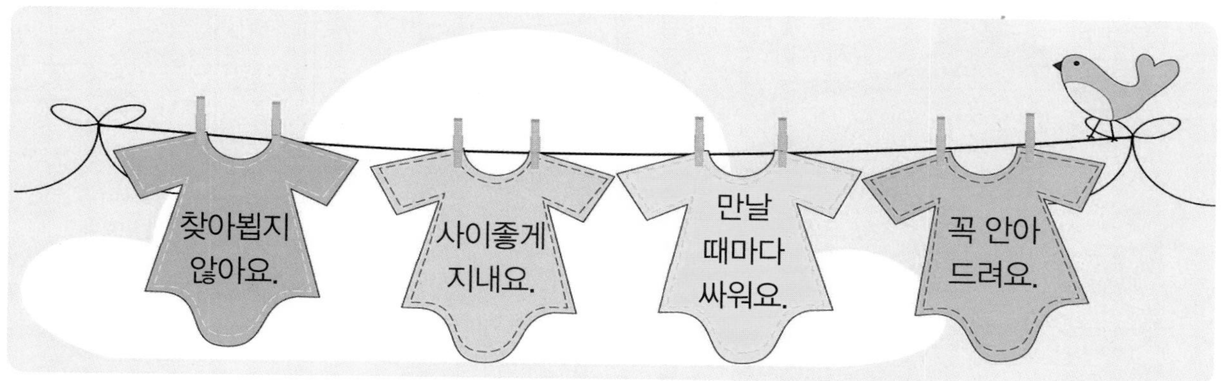
찾아뵙지 않아요.
사이좋게 지내요.
만날 때마다 싸워요.
꼭 안아 드려요.

2 다음은 가족을 위해 할 수 있는 일을 정리한 것이에요. 빈칸에 알맞은 말을 쓰세요.

자주 ☐☐을 드려요.

힘든 일이 있을 때 ☐☐해 드려요.

매일 ☐☐를 주물러 드려요.

3 다음 어린이가 할머니께 보내고 있는 것은 무엇인지 쓰세요.

할머니, 자주 연락 못 드려서 죄송해요. 이제부터는 전화도 자주 하고 할머니 댁에도 자주 놀러 갈게요.
보고 싶어요, 사랑해요♡

(　　　　　　　　　　)

우리 형제 노래 부르기

'우리 형제' 노래 알아보기

전래 동요

우	물		가		엔	나		무	형	제	
하	늘		에		는	별		이	형	제	
우	리		집		엔	나	와	언	니		

우물 근처에 나무들이 서 있는 모습이 형제 같다는 뜻

밤하늘에 여기저기 별이 떠 있는 모습이 형제 같다는 뜻

1 장단에 맞추어 '우리 형제' 노래를 부를 때 소고를 쳐야 할 부분으로 알맞은 곳에 붙임 딱지를 붙여 보세요. 붙임 딱지 2

우	물		가		엔	나		무	형	제	
○	○		○		○	○		○	○	○	

하	늘		에		는	별		이	형	제	
○	○		○		○	○		○	○	○	

2 '우리 형제' 노래에 나오는 노랫말의 뜻을 알맞게 줄로 연결하세요.

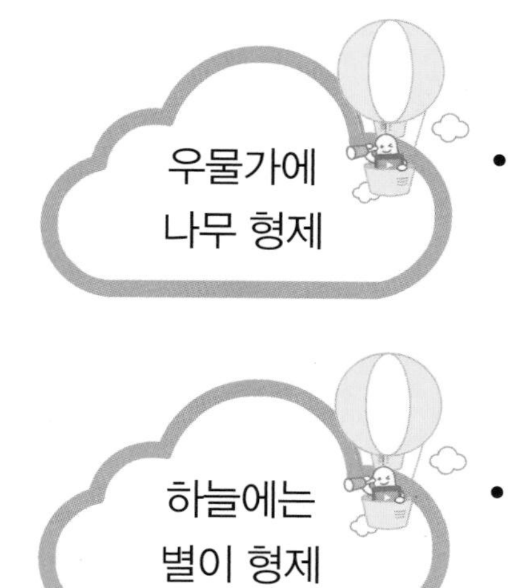

• 우물 근처에 나무들이 서 있는 모습이 형제 같다는 뜻

• 밤하늘에 여기저기 별이 떠 있는 모습이 형제 같다는 뜻

3 '우리 형제' 노래를 가족과 친척에게 어울리는 노랫말로 바꾸어 부르려고 할 때 알맞은 노랫말에 모두 ○표를 하세요.

① 노래하는 큰어머니 ☐
② 척척 박사 선생님 ☐
③ 개구쟁이 옆집 동생 ☐
④ 하하 껄껄 할아버지 ☐

3일 여름의 모습 관찰하기

개념 콕!

우리 몸으로 여름 느껴 보기

귀 매미가 '맴맴' 울고, 바람 때문에 나뭇잎끼리 부딪혀서 '슥슥' 소리가 납니다.

입 물이나 공기는 아무 맛도 나지 않습니다.

눈 초록색 나뭇잎이 많고, 둥근 모양의 나뭇잎이 있습니다.

코 운동장에서 흙냄새가 나고, 친구들 땀 냄새가 납니다.

손(피부) 나무가 거칠고, 햇빛이 따가우며, 몸이 끈적거립니다.

+ 정답 6쪽

1 다음과 같은 모습을 볼 수 있는 계절을 쓰세요.

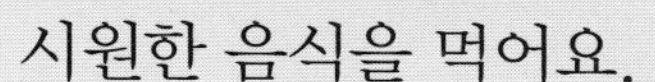
시원한 음식을 먹어요.

비가 많이 내려요.

물놀이를 해요.

(   )

2 다음과 같이 여름을 느낄 수 있는 우리 몸의 감각 기관에 해당하는 붙임 딱지를 붙여 보세요. 붙임 딱지 2

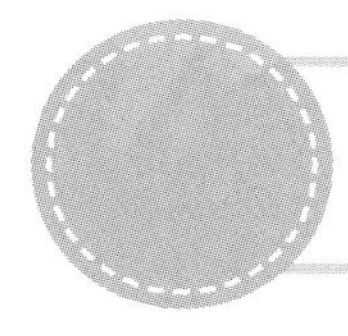
초록색 나뭇잎이 많고, 둥근 모양의 나뭇잎이 있어요.

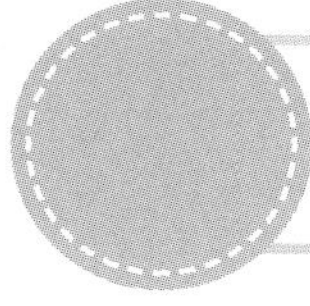
운동장에서 흙냄새가 나고, 친구들 땀 냄새가 나요.

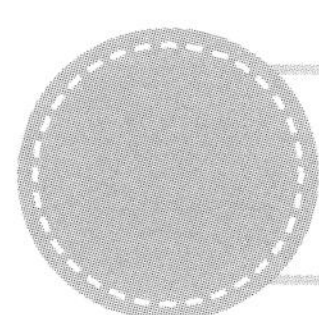
나무가 거칠고, 햇빛이 따가우며, 몸이 끈적거려요.

3 다음은 ㉠ 감각을 이용하여 여름을 관찰한 내용이에요. 빈칸에 알맞은 말을 쓰세요.

- 바람 때문에 나뭇잎끼리 서로 부딪혀서 [ ][ ] 소리가 나요.
- 매미가 [ ][ ] 소리를 내며 울어요.

해야 해야 나오너라

노래 듣기

개념 콕!

다양한 방법으로 '해야 해야 나오너라' 노래하기

① 노랫말 주고받으며 노래하기

먼저 부르기		나중에 부르기
해야 해야	→	나오너라
저 건넬랑	→	음달지고
이 건넬랑	→	해 나오고

② 해 정하기 놀이하기

두 편으로 나누어 노랫말 주고받기

↓

가위바위보에서 지면 상대편으로 가기

↓

사람이 많은 편이 '해'가 되기

+ 정답 6쪽

[1~3] 다음 전래 동요를 보고, 물음에 답하세요.

㉠	야		㉠	야		나	오	너	라		
저	건		넬	랑		음	달	지	고		
이	건		넬	랑		㉠	나	오	고		

1 위 ㉠에 공통으로 들어갈 알맞은 것에 ○표를 하세요.

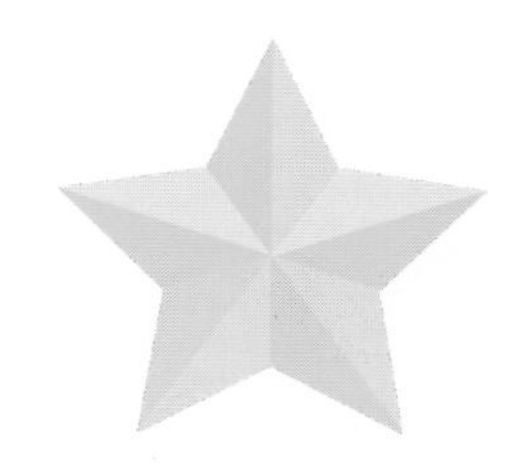

2주

2 위 노래를 주고받으며 할 수 있는 놀이에 ○표를 하세요.

3 위 **2**번 답의 놀이를 하는 모습을 보고, 빈칸에 알맞은 말을 쓰세요.

두 편으로 나누어 노랫말을 주고받아요.

→

가위바위보에서 지면 상대편으로 가요.

→

사람이 많은 편이 [ ] 가 되어요.

여름철 날씨와 생활 모습

더위를 이길 수 있는 방법 알아보기

음식
- 물을 시원하게 마십니다.
- 아이스크림이나 빙수처럼 시원한 것을 먹습니다.

옷차림
- 반팔 티, 민소매 등과 같은 짧고 얇은 옷을 입습니다.
- 샌들이나 슬리퍼 등을 신습니다.

장소
- 그늘 밑으로 갑니다.
- 수영장, 계곡, 바닷가 등 물이 있는 곳이나 나무가 많은 산, 휴양림에 갑니다.

도구

에어컨, 양산, 선풍기, 죽부인, 부채 등 여름을 시원하게 보낼 수 있는 여러 가지 도구를 사용합니다.

개념 익히기

+ 정답 6쪽

1 여름철 사람들의 생활 모습으로 알맞은 것에 모두 ○표를 하세요.

김장을 해요.
시원한 음식을 먹어요.
두꺼운 옷을 입고 다녀요.
수영장, 바닷가 등에 가요.

2 다음 그림에서 사람들이 더위를 이기기 위해 사용하는 도구를 세 가지 이상 쓰세요.

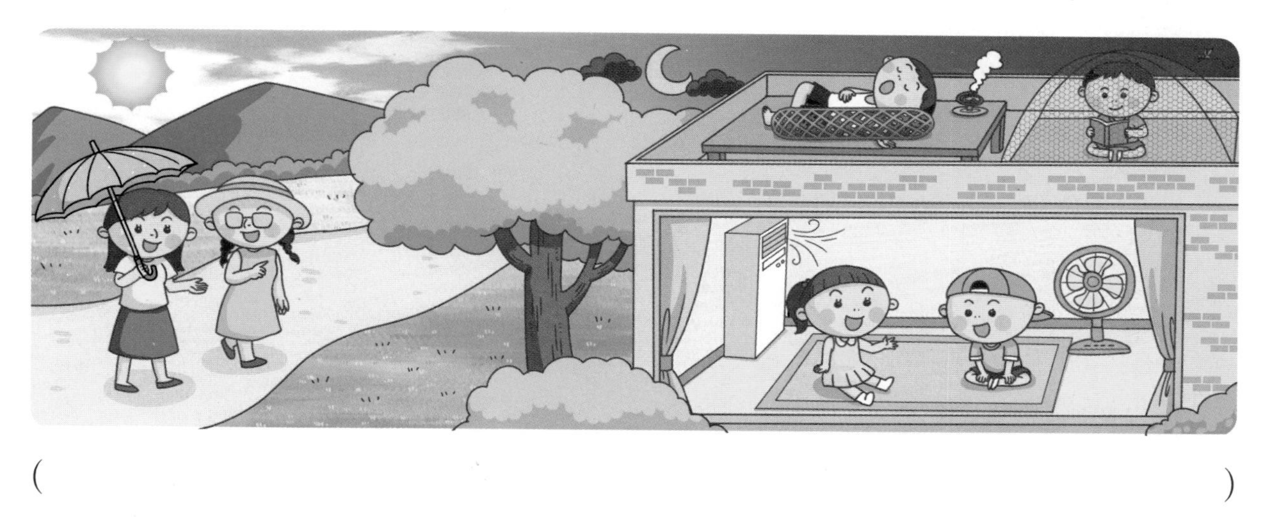

(　　　　　　　　　　　　　　　　　　　　　　　　　　　　)

3 다음은 여름을 잘 보내기 위해 해야 할 일이에요. 빈칸에 알맞은 말을 쓰세요.

땀을 많이 흘리므로 □을 많이 마셔요.

25℃

□□□의 온도를 너무 낮추지 않아요.

□□□에 음식물을 보관해요.

4일 에너지 절약 방법

개념 콕! 에너지를 아낄 수 있는 방법 알아보기

사용하지 않는 플러그는 뽑아 둡니다.

냉장고의 문을 열고 닫는 횟수를 줄입니다.

적정한 실내 온도(26~28℃)를 유지합니다.

✚ 정답 6쪽

1 다음은 에너지가 낭비되고 있는 모습이에요. 빈칸에 알맞은 말을 쓰세요.

☐☐을 열어 둔 채 켜 놓은 에어컨
밝은 낮인데도 켜 놓은 ☐☐
보고 있지 않는데도 켜 놓은 텔레비전
긴팔 ☐을 입고 냉방 기구를 사용하는 모습

2 에너지를 아낄 수 있는 방법으로 알맞으면 (웃는 얼굴), 알맞지 않으면 (찡그린 얼굴) 붙임 딱지를 붙여 보세요. 붙임 딱지 2

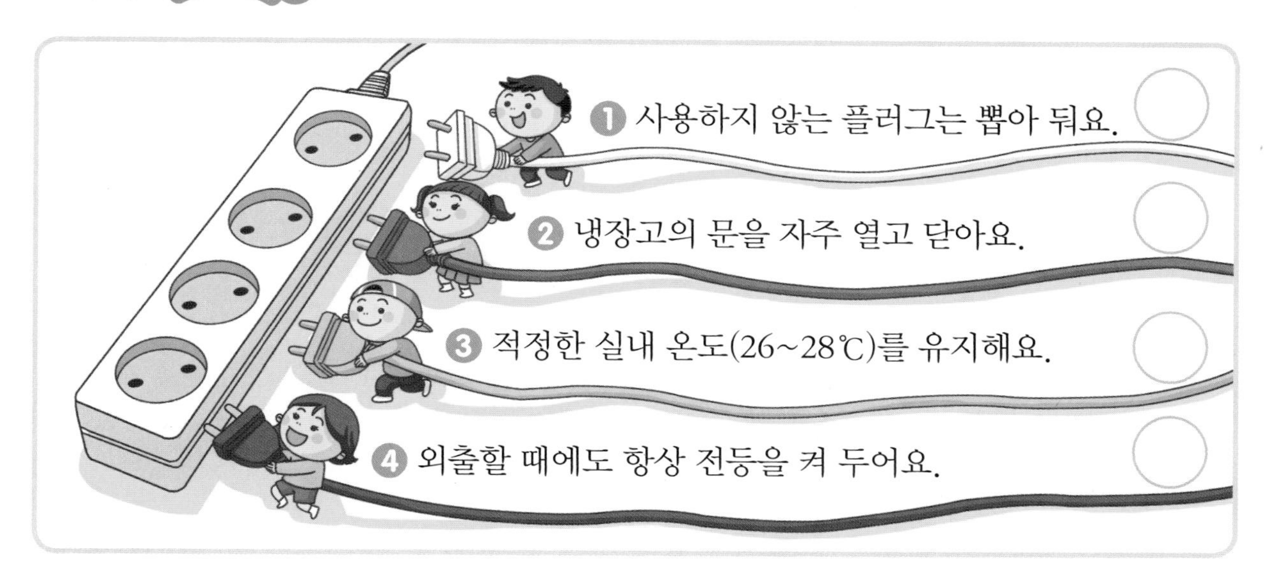

① 사용하지 않는 플러그는 뽑아 둬요.
② 냉장고의 문을 자주 열고 닫아요.
③ 적정한 실내 온도(26~28℃)를 유지해요.
④ 외출할 때에도 항상 전등을 켜 두어요.

부채 만들어 놀이하기

친구와 부채질 놀이해 보기

❶ 두 명씩 짝을 지어 친구와 가위바위보 하기

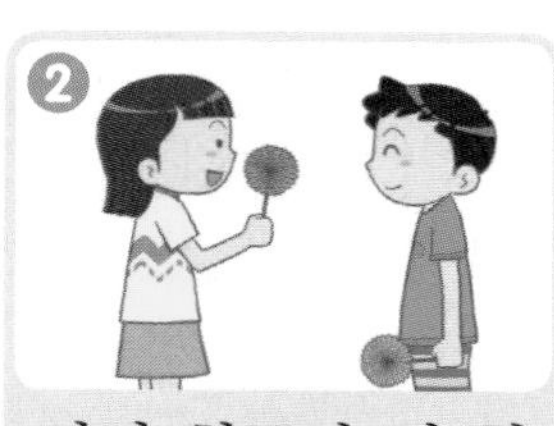

❷ 이긴 친구가 진 친구에게 부채질 해 주기

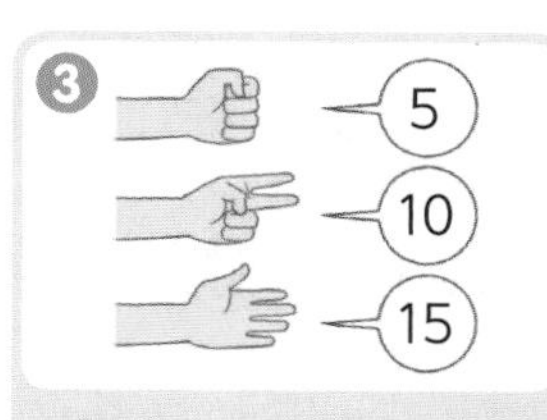

❸ 바위는 5번, 가위는 10번, 보는 15번씩 부채질 해 주기

❹ 부채질을 해 준 친구에게 고맙다고 인사하기

개념 익히기

1 다음 만들기 방법을 보고, 빈칸에 알맞은 물건을 쓰세요.

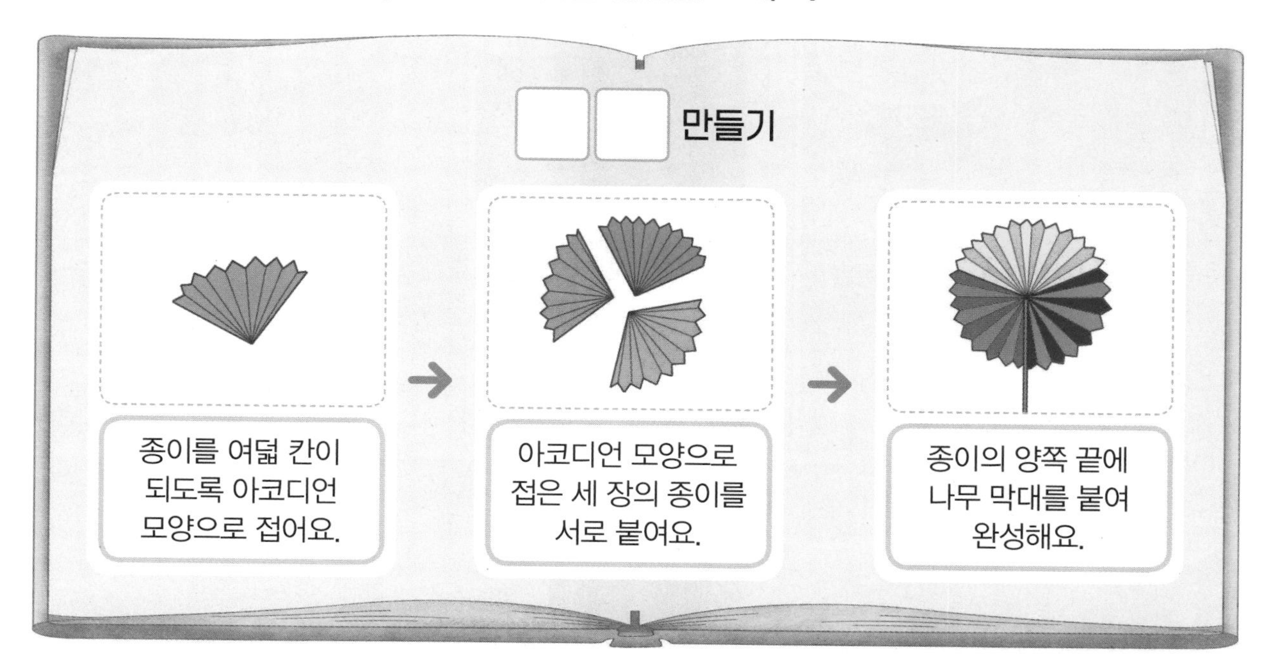
☐☐ 만들기
종이를 여덟 칸이 되도록 아코디언 모양으로 접어요.
아코디언 모양으로 접은 세 장의 종이를 서로 붙여요.
종이의 양쪽 끝에 나무 막대를 붙여 완성해요.

2 다음 놀이 방법을 읽고, 채은이가 유준이에게 해 줄 부채질의 횟수를 쓰세요.

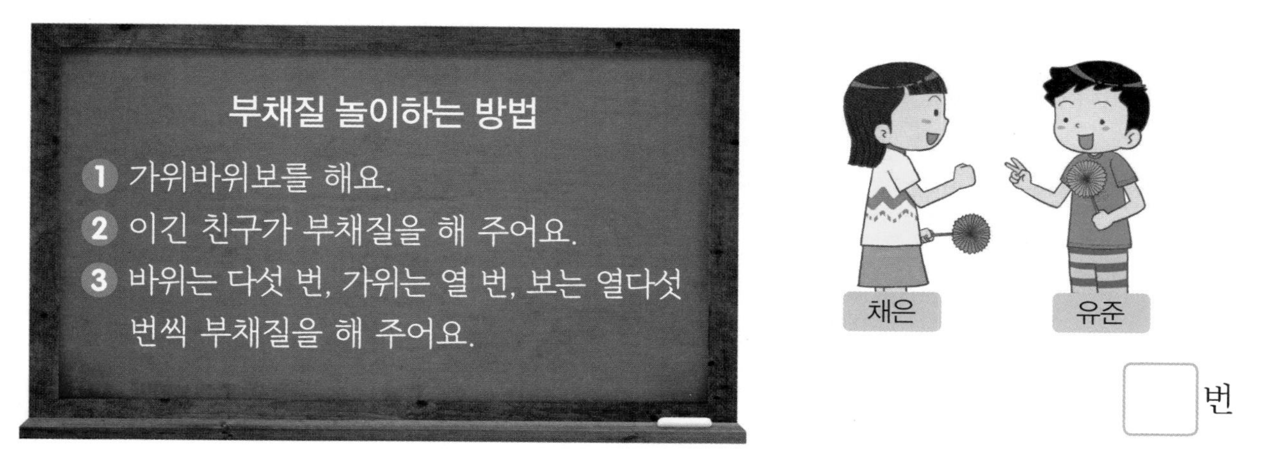
부채질 놀이하는 방법
1 가위바위보를 해요.
2 이긴 친구가 부채질을 해 주어요.
3 바위는 다섯 번, 가위는 열 번, 보는 열다섯 번씩 부채질을 해 주어요.
채은
유준
☐ 번

3 위 **2**번과 같이 부채질 놀이를 한 후 유준이가 채은이에게 해야 할 인사말을 다음 낱말 카드에서 찾아 쓰세요.

반
고
사
녕
워
안
가
마

( )

여름 느낌 표현하기

노래 듣기

'여름날' 노래를 듣고 떠오르는 느낌을 색, 선, 모양으로 표현하기

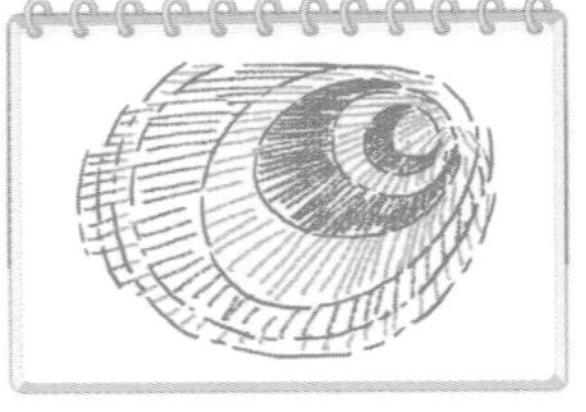

쨍쨍 내리쬐는 따가운 햇볕을 나타냅니다.

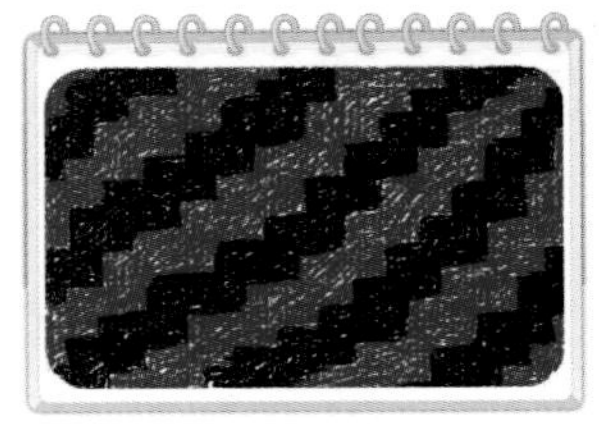

여름에 먹는 수박을 나타냅니다.

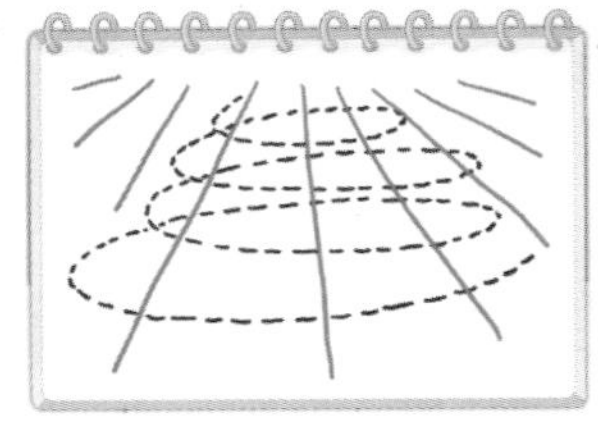

매미가 힘차게 맴맴 우는 소리를 나타냅니다.

강아지가 낮잠을 자는 모습을 나타냅니다.

1 다음 ‘여름날’ 노랫말을 읽고, 떠오르는 느낌을 선으로 자유롭게 표현해 보세요.

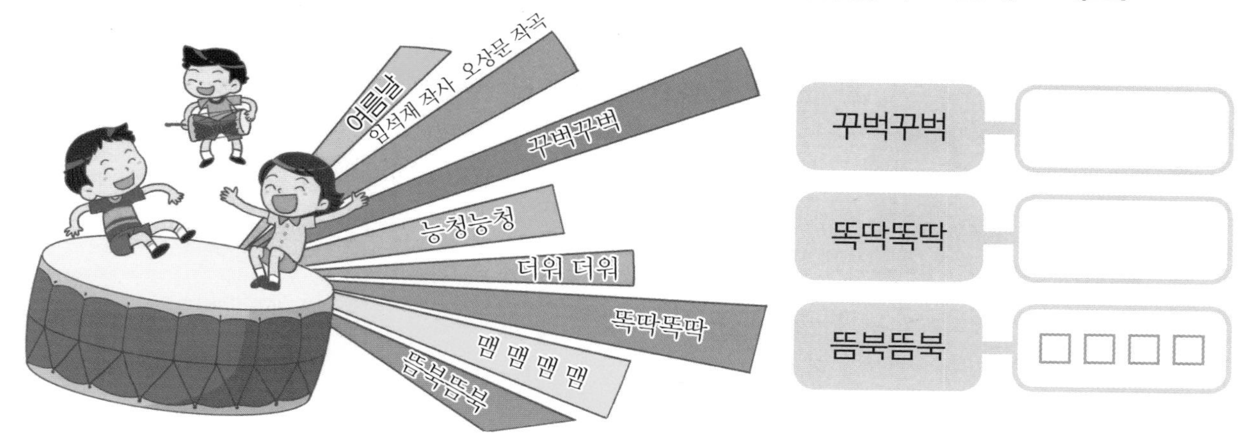

2 여름철 무더운 날씨를 표현하기에 가장 알맞은 색깔에 ○표를 하세요.

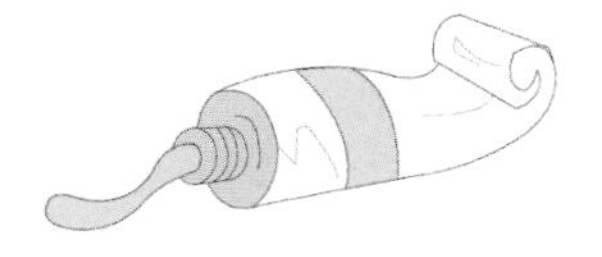 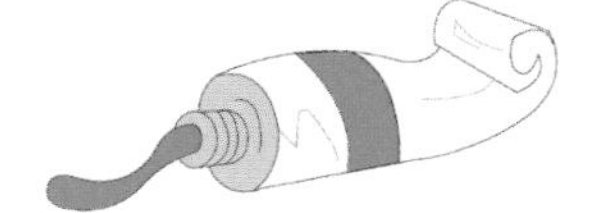 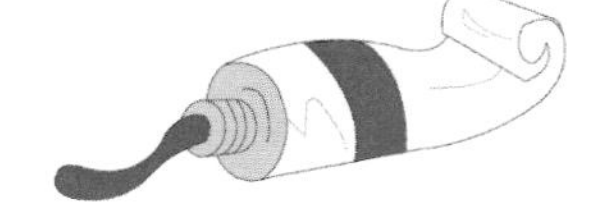 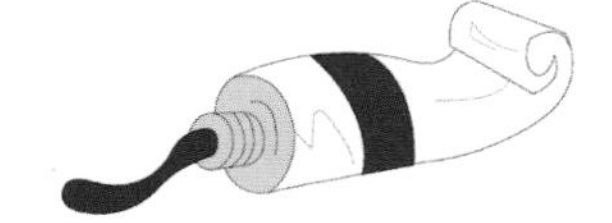

3 다음 여름과 관련된 것을 표현한 작품을 알맞게 줄로 연결하세요.

여름에 먹는 수박	쨍쨍 내리쬐는 따가운 햇볕	매미가 힘차게 우는 소리

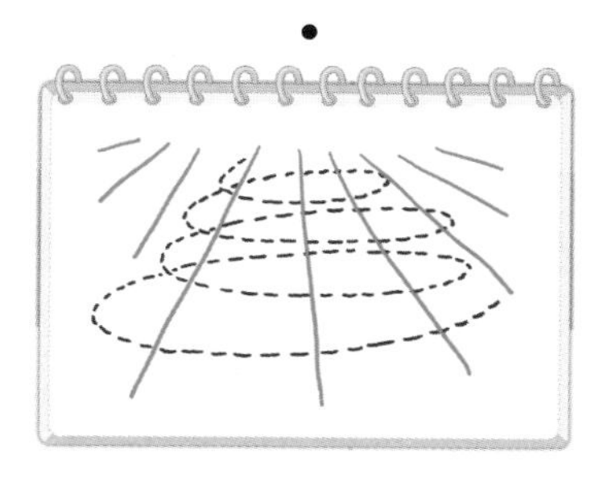 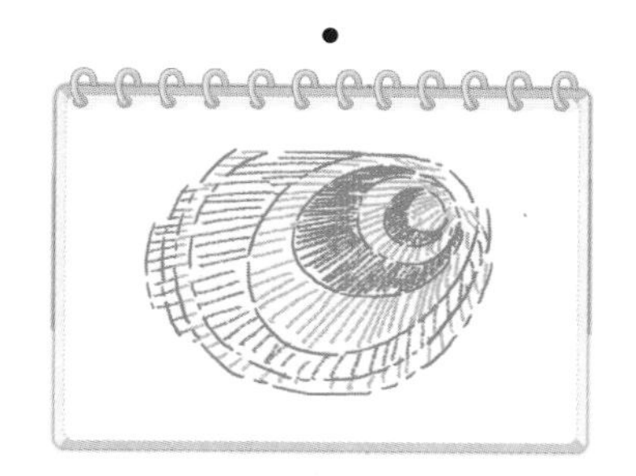 

누구나 100점 TEST

1 다음 상황에서 해야 할 예절 바른 행동으로 알맞은 것에 ○표를 하세요.

▲ 친척 어른이 선물을 주실 때

"감사합니다." 하고 인사를 드려요.

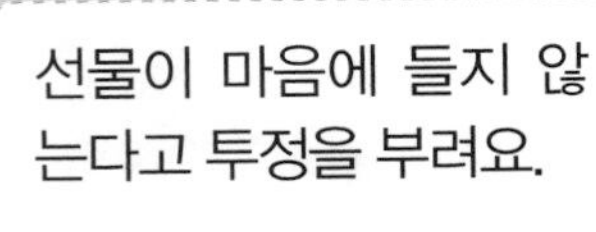

선물이 마음에 들지 않는다고 투정을 부려요.

2 '우리 형제' 노래를 장단에 맞추어 부를 때 소고를 치는 부분으로 알맞은 곳은 어디인가요? (　　　)

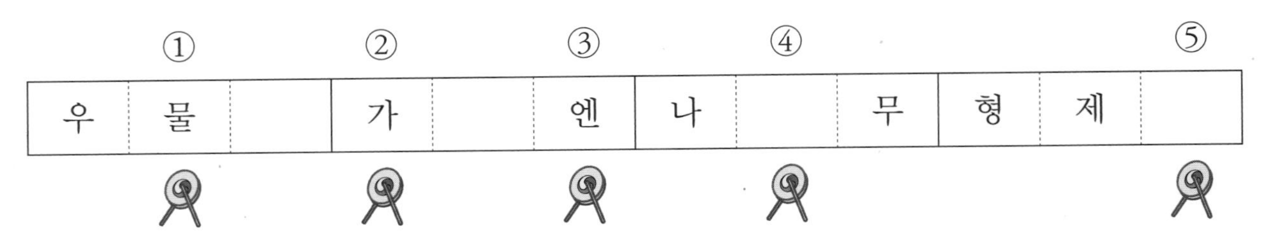

3 다음 감각 기관을 이용하여 관찰한 여름의 모습을 알맞게 줄로 연결하세요.

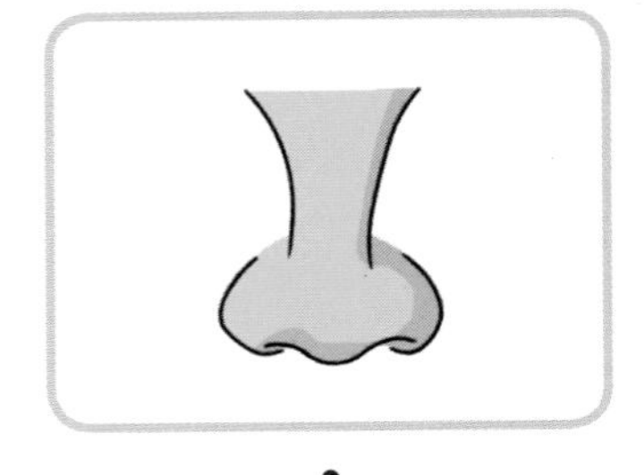

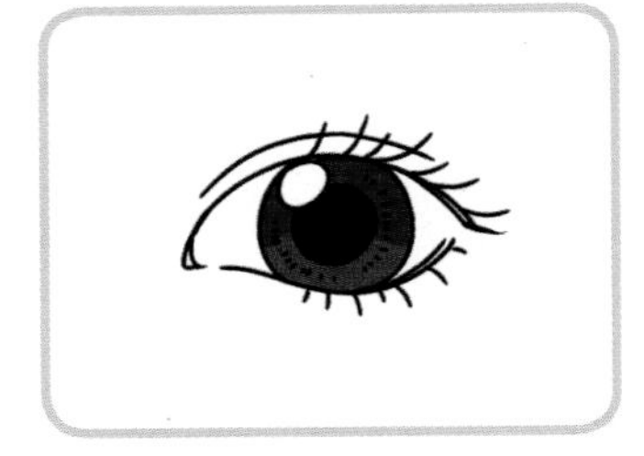

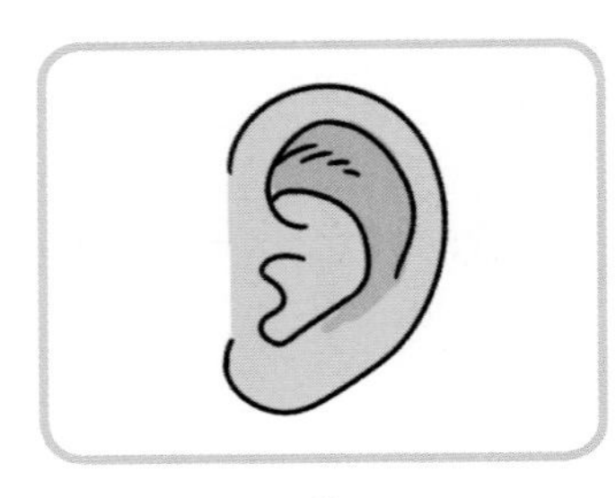

매미가 '맴맴' 울어요.

초록색 나뭇잎이 많아요.

친구들 땀 냄새가 나요.

4 여름철 더위를 이겨낼 수 있는 도구로 알맞은 것을 두 가지 고르세요. (　　　　　)

① 
▲ 털모자

② 
▲ 선풍기

③ 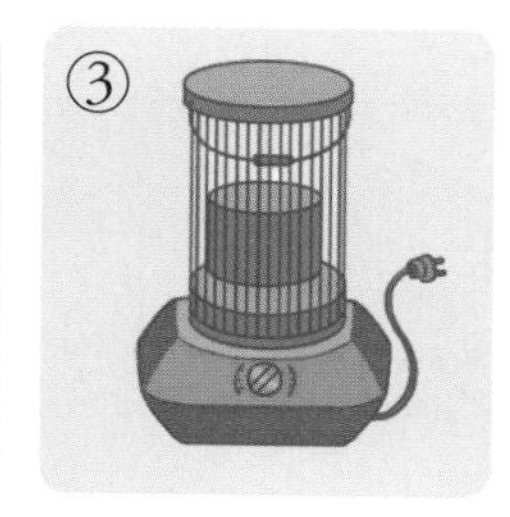
▲ 난로

④ 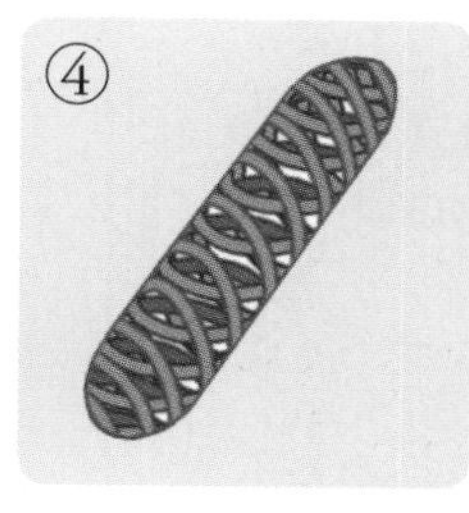
▲ 죽부인

⑤ 
▲ 목도리

5 다음 그림을 보고, 빈칸에 알맞은 말을 쓰세요.

왼쪽 그림은 더운 여름날 사람들이 ☐☐☐를 낭비해서 지구가 힘들어하고 있는 모습이에요.

6 다음 여름과 관련된 것을 표현한 작품 중 여름에 먹는 수박을 나타낸 그림에 ○표를 하세요.

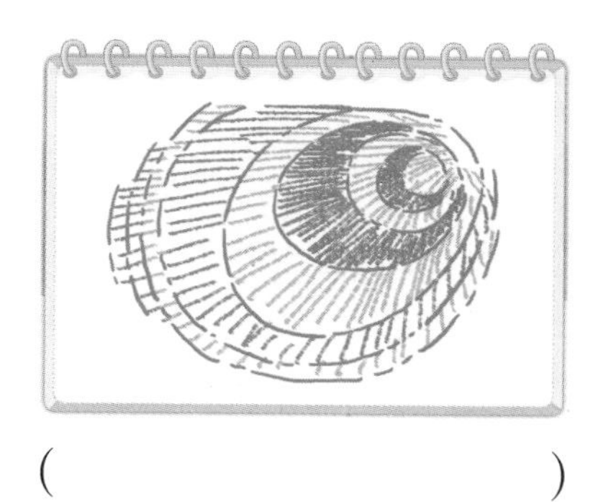
(　　　　　)

(　　　　　)

(　　　　　)

생각을 넓혀요

여름철 건강을 지키는 방법

2주

냉방병에 대해 알아봐요!

원인과 증상	에어컨의 온도를 지나치게 낮추어 실내와 실외의 온도 차이가 커지면서 감기와 비슷한 증상이 나타나는 병이에요.
예방법	실내 온도가 26℃ 이상으로 유지될 수 있도록 에어컨의 온도를 너무 낮추지 않고, 2~4시간마다 실내를 환기시켜야 해요.

퀴즈 팡!

여름철 에어컨의 지나친 사용으로 실내와 실외의 온도 차이가 커지면서 감기와 비슷한 증상이 나타나는 병은?

답 

2주 특강

생각을 키워요

창의

1 가족이나 친척 사이에 지켜야 할 예절로 알맞은 것에는 빨간색을, 알맞지 않은 것에는 초록색을 칠해 사과나무를 완성해 보세요.

+ 정답 8쪽

융합

2 다음은 무더운 여름날을 나타낸 그림이에요. 그림에 숨겨진 자음자와 모음자를 모두 모아 여름을 시원하게 보낼 수 있는 장소 두 곳을 쓰세요.

생각을 키워요

코딩

3 다음 동물들이 제시된 명령어에 따라 움직일 때 얻을 수 있는 여름철 생활 도구의 붙임 딱지를 붙여 보세요. 붙임 딱지 2

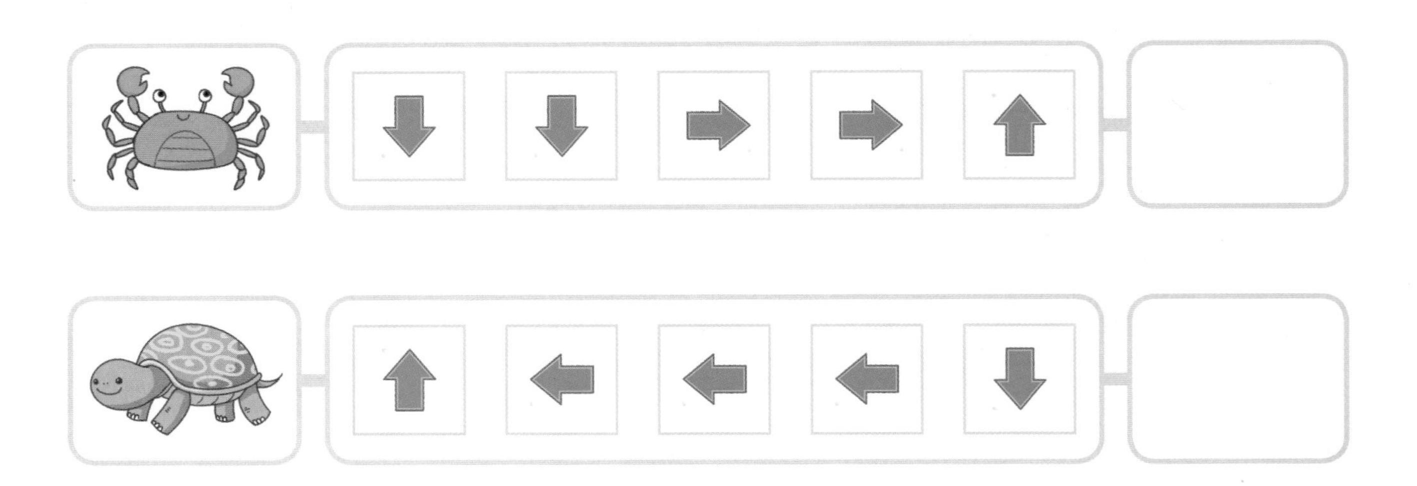

창의

4 여름철 에너지를 아낄 수 있는 방법으로 알맞은 답을 따라 산 입구에서부터 정상까지 가는 길을 선으로 이어 보세요.

2주

3주에는 무엇을 공부할까? ①

공부할 내용

- 1일 비 오는 여름날 생활 모습 ~ 비와 태풍의 영향
- 2일 태풍 놀이하기 ~ 여러 가지 우산 만들기
- 3일 물을 아껴 쓰는 방법 ~ 물 모으기 놀이하기
- 4일 빗방울 표현하기 ~ 여름에 꼭 필요해 놀이하기
- 5일 여름을 몸으로 표현하기 ~ 여름 모습 그리기

3주

✪ 비 오는 여름날 사람들의 생활 모습에 알맞은 붙임 딱지를 붙여 보세요. 붙임 딱지 3

비어 있는 부분에 알맞은 붙임 딱지를 붙이고, 다른 붙임 딱지들도 자유롭게 붙이면서 비 오는 여름날의 생활 모습을 꾸며 보도록 해요.

3주

1일 비 오는 여름날 생활 모습

개념 콕! 비 오는 여름날 사람들의 생활 모습 알아보기

우산을 쓰거나 비옷을 입고, 장화를 신고 다닙니다.

집에서 일기 예보를 확인하고, 제습기를 사용합니다.

빨래를 걷고, 물건을 안으로 들여놓습니다.

비 피해를 막기 위해 물가에 모래주머니를 쌓습니다.

+ 정답 9쪽

1 다음 그림 속 어린이들에게 필요한 생활 도구로 알맞은 것에 ○표를 하세요.

2 다음 비가 오는 여름날 사람들의 생활 모습을 보고, 빈칸에 알맞을 말을 골라 쓰세요.

장화

제습기

일기 예보

모래주머니

(1) 외출할 때 우산과 ☐☐를 준비해요.

(2) 집에서 ☐☐ ☐☐를 확인해요.

(3) 집 안의 습기를 없애기 위해 ☐☐☐를 사용해요.

(4) 홍수로 인한 피해를 막기 위해 물가에 ☐☐☐☐☐를 쌓아요.

1일 비와 태풍의 영향

개념 콕! 장마와 태풍이 우리 생활에 끼치는 영향 알아보기

장마와 태풍이 생활에 끼치는 영향	
좋은 점	• 비가 오면 농작물이 잘 자람. • 비가 오면 사용할 수 있는 물이 많아짐.
좋지 않은 점	• 빨래가 잘 마르지 않음. • 홍수 때문에 집과 건물이 물에 잠김. • 바람이 세게 불어 나무가 부러짐.

+ 정답 9쪽

1 다음 어휘 카드의 빈칸에 알맞은 말을 쓰세요.

보통 6월 말에서 7월 말 사이에 여러 날 계속해서 비가 내리는 날씨

매우 강한 바람과 함께 많은 양의 비가 내리는 날씨

3주

2 비와 태풍이 우리 생활에 끼치는 영향 중 좋은 점에는 ☺, 좋지 않은 점에는 ☹ 붙임 딱지를 붙여 보세요. 붙임 딱지 3

비가 오면 농작물이 잘 자라요. ○	홍수 때문에 집이 물에 잠겨요. ○	바람이 세게 불어서 나무가 부러져요. ○

3 다음 어린이가 비로 인한 피해에 대비하는 방법으로 알맞은 것에 ○표를 하세요.

① 일기 예보를 확인합니다. ☐

② 바깥에 놓인 물건을 안으로 들여놓습니다. ☐

태풍 놀이하기

태풍 놀이의 방법 알아보기

술래 태풍을 정함. 태풍은 움직일 수 있음.

태풍이나 작은 태풍에게 잡히면 작은 태풍이 됨.

작은 태풍은 제자리에서 팔만 흔들어 친구들을 잡음.

도망 다니던 친구들이 모두 다 잡히면 놀이가 끝남.

1 다음 태풍 놀이를 하는 모습에서 술래를 찾아 ○표를 하세요.

태풍 놀이에서
술래는 태풍
목걸이를 목에
걸어 표시해요.

2 위 1번 그림의 태풍 놀이 방법을 바르게 설명한 어린이의 이름을 쓰세요.

태풍은
움직일 수
있어요.

연석

태풍에게
잡힐 것 같으면
그 자리에 앉아요.

소연

태풍은 바닥에
앉은 친구들을
잡을 수 없어요.

찬원

( )

3 다음 세 가지 힌트 카드를 보고 '나'는 무엇인지 쓰세요.

첫 번째 힌트	두 번째 힌트	세 번째 힌트
태풍에게 잡히면 내가 돼요.	나는 제자리에서 움직일 수 없어요.	나는 팔만 흔들어 친구들을 잡아요.

( )

2일 여러 가지 우산 만들기

다양한 모양으로 우산 만들기

투명 필름과 빨대, 털 철사를 이용하여 만든 우산

색상지와 빨대를 이용하여 만든 우산

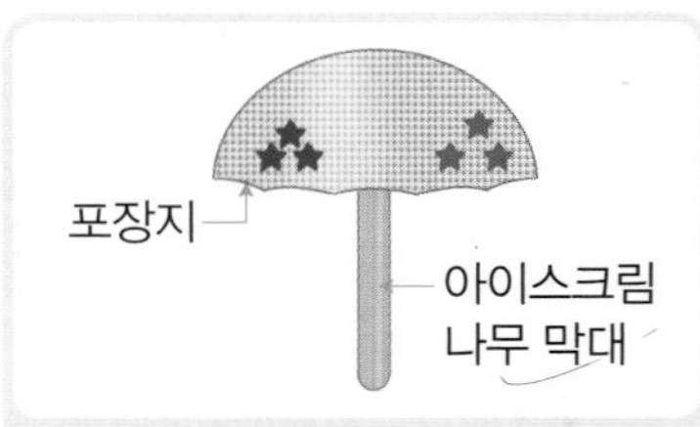

포장지와 아이스크림 나무 막대를 이용하여 만든 우산

✚ 정답 9쪽

1 다음 어린이들이 설명하는 도구는 무엇인지 보기에서 찾아 쓰세요.

버섯처럼 생겼어요.
비가 오면 누구나 쓰고 다녀요.
비닐로 된 것도 있고 헝겊으로 된 것도 있어요.
보기
• 우산
• 부채
• 장화
• 장갑

(　　　　　　　　　　)

2 다음 우산을 만들기 위해 필요한 준비물로 알맞은 것에 ○표를 하세요.

3 다음 어린이가 만든 우산에 ○표를 하세요.

물을 아껴 쓰는 방법

물을 절약할 수 있는 방법 알아보기

양치질을 할 때 양치 컵을 사용합니다.

손을 씻을 때 물을 잠그고 비누칠을 합니다.

샤워를 할 때 물을 잠그고 비누칠을 합니다.

사용하고 난 다음에는 수도꼭지를 꼭 잠급니다.

친구들과 물장난을 하지 않습니다.

✚ 정답 10쪽

1 다음 영상 속 모습을 보고, 빈칸에 알맞은 말을 쓰세요.

2 다음과 같이 행동하는 친구에게 해줄 말로 바른 것에 ○표를 하세요.

❶ 손을 씻을 때는 물을 잠그고 비누칠을 해야 해요. ☐

❷ 외출하고 집에 돌아오면 손을 깨끗이 씻어야 해요. ☐

3 물을 아낄 수 있는 방법으로 알맞으면 ☺, 알맞지 않으면 ☹ 붙임 딱지를 붙여 보세요. 붙임 딱지 3

수돗가에서 친구들과 물장난을 해요.

이를 닦을 때 양치 컵을 사용해요.

물을 사용하고 난 다음 수도꼭지를 꼭 잠가요.

3일 물 모으기 놀이하기

개념 콕! 물 모으기 놀이 방법 알아보기

1. 두 편으로 나눕니다.

2. 컵을 들고 섭니다.

3. 달려가 컵에 물을 담습니다.

4. 물을 흘리지 말고 돌아옵니다.

5. 컵의 물을 수조에 담습니다.

6. 물을 많이 모은 편이 이깁니다.

✦ 정답 10쪽

1 다음은 물 모으기 놀이를 시작하기 전 모습이에요. 출발선에 서 있는 어린이에게 필요한 물건에 ◯표를 하세요.

2 위 **1**번 그림의 물 모으기 놀이를 하는 방법으로 알맞은 것에 ◯표를 하세요.

신호 소리에 맞추어 달려가 수조 안의 물을 컵에 담아요.	물이 든 컵을 머리 위에 올리고 출발선으로 되돌아와요.	자신의 컵에 있는 물을 다음 친구의 컵에 따라요.
(　　)	(　　)	(　　)

3 다음은 물 모으기 놀이가 끝난 후 수조의 모습이에요. 놀이에서 승리한 모둠의 이름을 쓰세요.

(　　　　　　　　　　)

빗방울 표현하기

여러 가지 색과 모양으로 빗방울 표현하기

스펀지를 이용한 표현 방법

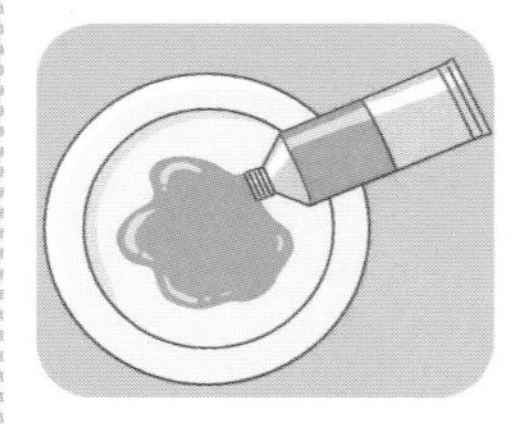

1 접시에 물감을 담습니다.

2 스펀지에 물감을 묻힙니다.

3 스펀지를 도화지에 찍어 표현합니다.

스펀지를 이용한 작품

예

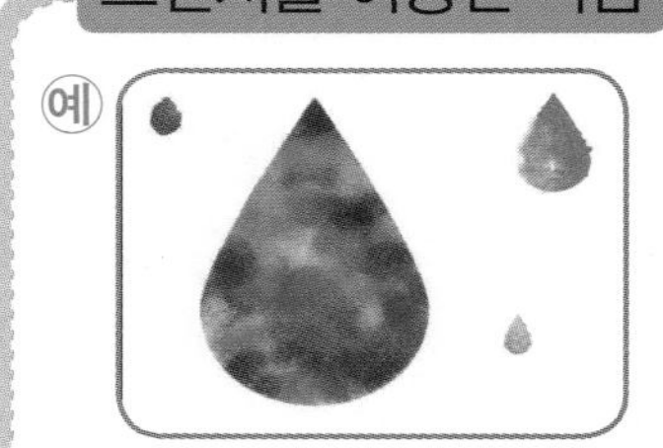

물방울 모양 틀 안을 스펀지로 찍어 표현함.

✚ 정답 10쪽

1 다음 징검다리 위에 여러 가지 물건이 놓여 있어요. 강 건너편에 있는 그림을 그리는 데 필요한 준비물에 ◯표를 하며 강을 건너 보세요.

3주

2 다음 게시판에 붙은 작품의 제목으로 알맞은 말을 보기에서 찾아 빈칸에 쓰세요.

여름에 꼭 필요해 놀이하기

개념 콕!

해 마을과 비 마을에 필요한 것을 찾는 여름에 꼭 필요해 놀이 알아보기

편을 나누어 해 마을과 비 마을을 정함.

술래편은 수비 칸에서 다른 마을 친구들이 지나가지 못하게 지킴.

공격편은 술래편에 잡히지 않고 넘어가 우리 마을에 필요한 것을 찾아 되돌아옴.

✦ 정답 10쪽

1 다음 여름에 꼭 필요해 놀이 모습을 보고, (　　) 안의 알맞은 말에 ○표를 하세요.

(1) (공격편 , 술래편)은 다른 마을 친구들이 지나가지 못하게 지켜요.

(2) (공격편 , 술래편)은 잡히지 않고 넘어가 우리 마을에 필요한 것을 찾아요.

2 다음 두 마을 어린이에게 연결된 선을 따라 도착한 곳에 각 마을에 필요한 물건의 붙임 딱지를 붙여 보세요. 붙임 딱지 3

5일 여름을 몸으로 표현하기

개념 콕! 여름 날씨와 생활 모습을 몸으로 표현하기

표현 방법

1. 무엇을 표현할지 이야기합니다.
2. "하나, 둘, 셋, 찰칵!" 하면 몸으로 표현하고 멈춥니다.
3. 친구가 표현한 것이 무엇일지 이야기합니다.
4. 자신이 표현한 것을 설명합니다.

표현하기

쨍쨍 내리쬐는 햇볕 / 들판의 나무 / 부채질하는 모습

✦ 정답 11쪽

1 다음 여름 풍경을 몸으로 표현한 모습을 알맞게 줄로 연결하세요.

2 다음 어린이들이 표현한 여름 모습을 찾아 번호를 쓰세요.

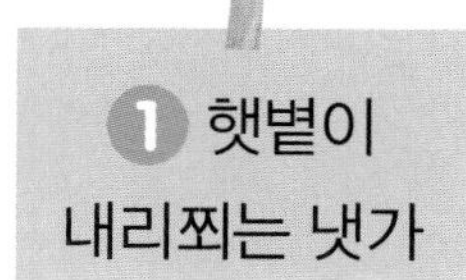

2 원두막에서 수박 먹기

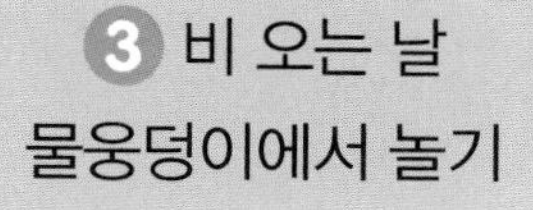

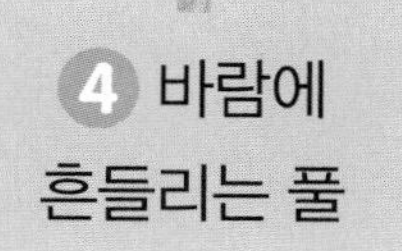

(　　　　　　　　)

(　　　　　　　　)

여름 모습 그리기

여름에 경험한 일 그려 보기

가족과 바다에서 물놀이를 했던 일을 그렸습니다.

할머니 댁에 가서 수박을 먹었던 일을 그렸습니다.

비 오는 날 우산을 쓰고 학교에 갔던 일을 그렸습니다.

가족과 주말 농장에서 감자를 캤던 일을 그렸습니다.

+ 정답 11쪽

1 다음 중 여름에 경험했던 일을 이야기하지 않은 어린이의 이름을 쓰세요.

주희
반 친구들과 함께 눈싸움을 했어요.

찬원
엄마와 농장에서 감자를 캤어요.

지윤
가족들과 함께 수영장에 갔어요.

(　　　　　　　　　　)

2 다음 주제에 알맞은 그림에 ◯표를 하세요.

3 다음 어린이가 그린 그림을 보고, 빈칸에 알맞은 말을 쓰세요.

☐가 내리는 날 우산을 쓰고 학교에 갔던 일을 그렸어요.

3주

누구나 100점 TEST

1 비가 오는 여름날의 생활 모습으로 알맞으면 ○표, 알맞지 않으면 ×표를 하세요.

우산과 비옷, 장화를 준비해요.

집에서 일기 예보를 확인해요.

바다에 놀러 가 물놀이를 해요.

2 다음 태풍 놀이 그림에서 ○ 표시한 친구에 대해 바르게 설명한 어린이의 이름을 쓰세요.

도망 다니는 친구들을 쫓아다니며 잡아요.

제자리에서 팔만 흔들어 친구들을 잡아요.

( )

3 다음 어린이가 물을 아껴 쓰기 위해 해야 할 일은 무엇인가요? ( )

① 양치 컵 쓰기
② 비누 아껴 쓰기
③ 하루에 세 번 이 닦기
④ 물 틀어 놓고 비누칠하기
⑤ 수돗가에서 장난치지 않기

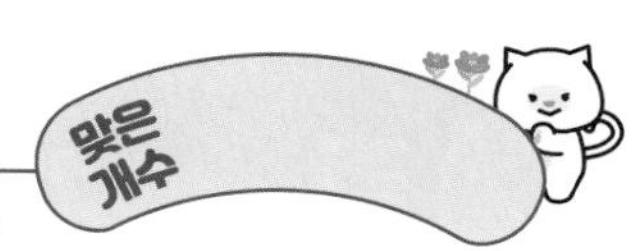

✚ 정답 11쪽

4 다음 그림을 보고, (　　) 안의 알맞은 말에 ○표를 하세요.

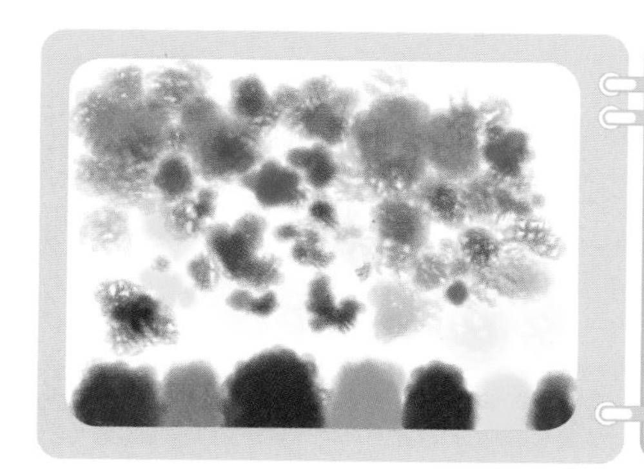

물감을 묻힌 스펀지를 도화지에 도장을 찍듯이 찍어서 여름에 볼 수 있는 (고드름 , 빗방울)을 표현하였어요.

5 다음 여름에 꼭 필요해 놀이에서 비 마을 어린이가 공격을 할 때 가져와야 할 물건은 무엇인가요? (　　　)

①　②　③　④

6 다음 작품의 제목으로 알맞은 것을 보기에서 찾아 쓰세요.

보기

- 물놀이
- 수박 먹기
- 비 오는 날
- 감자 캐기
- 바다에서 낚시하기

3주

생각을 넓혀요

태풍의 이름은 어떻게 붙일까요?

태풍의 이름을 정하는 방법에 대해 알아봐요!

태풍은 한 번 발생하면 일주일 이상 지속되기도 하고 동시에 한 지역에 여러 개의 태풍이 생길 수도 있어 헷갈리지 않기 위해 이름을 붙이게 되었어요. 태풍 이름은 태풍 위원회 회원국(14개국)의 고유 언어로 만들어진 이름을 국가별로 10개씩 제출하여 총 140개를 차례대로 사용하고 있는데, 우리나라에서 제출한 태풍 이름에는 개미, 나리, 장미, 미리내 등이 있어요.

우리나라가 태풍 위원회에 제출한 태풍의 이름을 두 가지 이상 쓰세요.

답  등

생각을 키워요

창의

1 다음 그림에 숨어 있는 물건을 찾아 ○표를 하고, 빈칸에 알맞은 생활 도구를 쓰세요.

숨은 그림

우산 비옷 장화 죽부인 부채

비가 오면 사람들은 [ ][ ]을 쓰거나 [ ][ ]을 입고, [ ][ ]를 신기도 해요.

+ 정답 12쪽

코딩

2 물을 아껴 쓰는 모습을 따라 수돗가로 가는 길을 순서대로 바르게 나열한 것에 ◯표를 하세요.

➡	⬇	➡	⬇	⬇	➡	☐
⬇	➡	➡	⬇	➡	⬇	☐

3주

생각을 키워요

창의

3 다음 어린이들과 연결된 길을 따라 도착한 곳에 알맞은 놀이 모습의 붙임 딱지를 붙여 보세요. 붙임 딱지 3

융합

4 다음 일기를 읽고, 내용에 어울리는 그림에 ○표를 하세요.

202○년 7월 25일 ○요일 날씨

가족과 함께 바다에 놀러 갔다. 동생이랑 튜브를 타고 물장구를 치며 신나게 물놀이를 했다.

3주

마무리 학습

공부한 내용을 정리해요

크앙~
떡 하나 사 주면
안 잡아 먹지!
으악, 호랑이
요괴다!
나 좀 살려 줘.
같이 가!
쳇, 조그만
녀석들이 재빠르군.
하아, 한여름에
무슨 고생이람? 온몸이
땀투성이야.
으~ 시원한
에어컨 바람에 땀을
식히고 싶어.
난 시원한 물놀이
하고 싶어.
물웅덩이들이 많은
걸 보니 비가 많이
왔었나봐.
비가 많이 오는
여름이잖아.
아! 물이 흐르는 곳을
따라가면 집으로 가는
길을 찾을 지도 몰라.
얘들아, 저기
솔바람마을이 보여!
와, 드디어
집에 도착했다!
노래 한 번
잘못 불러서 웬
고생이야.
다음부턴 절대
밤늦게 큰소리로
노래 부르면 안 돼!

마무리 학습

마무리 학습

신경향 · 신유형 · 서술형 ①

1 세윤이가 친척들과 놀이동산에 가서 대관람차를 탔어요. 어머니와 관계된 친척이 타고 있는 칸에 ○표를 하세요.

+ 정답 13쪽

2 도현이가 가족을 위해 할 수 있는 일로 알맞은 것을 모두 따라 가면서 꽃을 모아 엄마께 드리려고 해요. 엄마가 받게 될 꽃은 몇 송이인지 빈칸에 알맞은 숫자를 쓰세요.

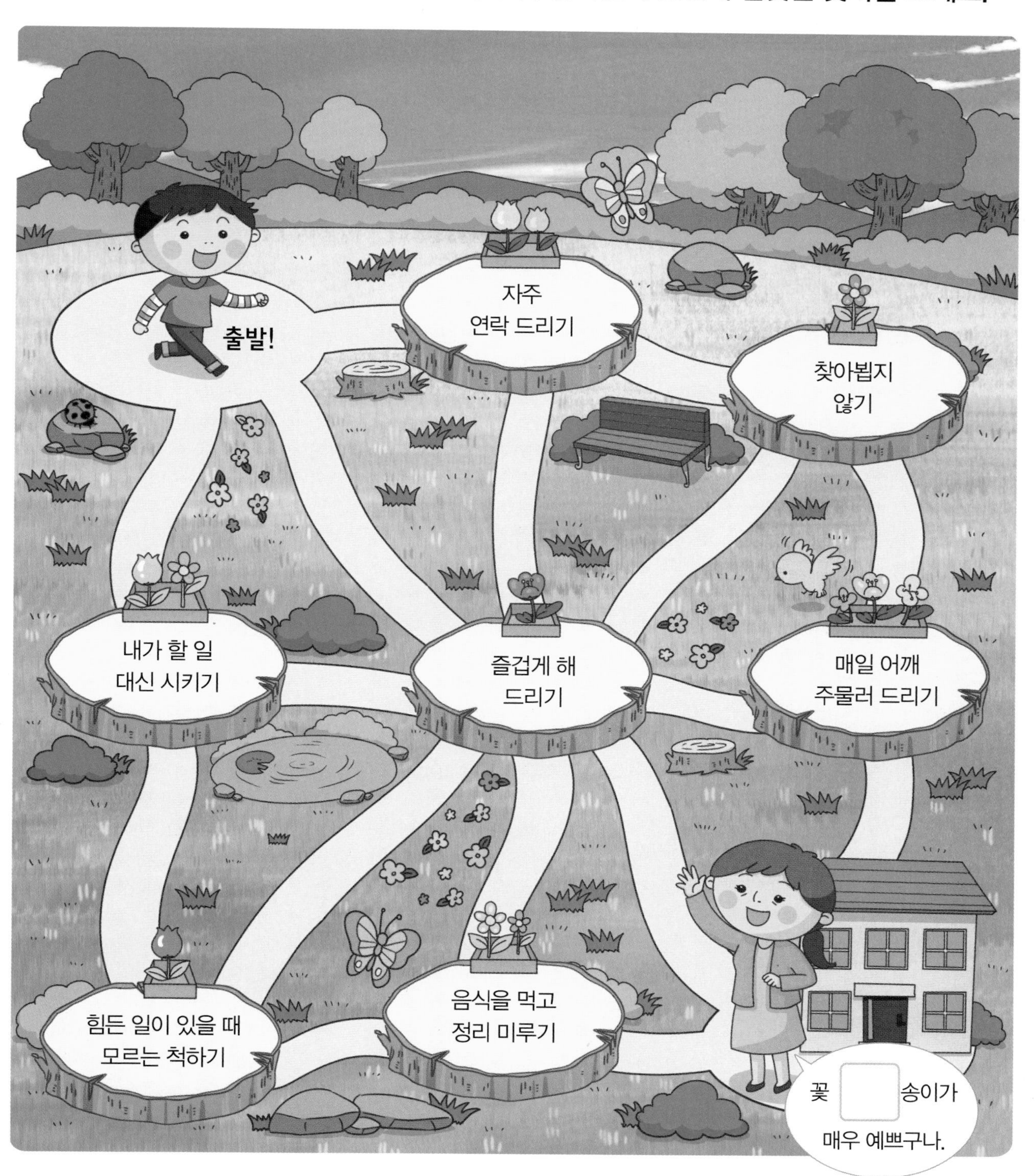

마무리 학습

3 여름철 사람들의 생활 모습이 알맞게 쓰여 있는 재료가 모두 끼워진 꼬치를 찾아 ◯표를 하세요.

4 가예네 집 가족들이 물을 사용하는 모습을 보고, 각자에게 물을 아껴 쓸 수 있도록 고쳐야 할 점을 알려 주세요.

설거지를 할 때 물을 틀어 놓고 사용하지 않아야 해요.
양치질을 할 때
양 치 컵 을 사 용 해 야 해 요.

마무리 학습

마무리 학습

기초 종합 정리 문제 1회

1 상상한 가족사진을 만드는 방법을 읽고, ㉠에 알맞은 말을 한 가지만 쓰세요.

㉠ 에서 어울리는 인물 찾기
⇩
찾은 인물을 가위로 오리기
⇩
오려 낸 인물을 붙여 가족사진 구성하기
⇩
가족 행사를 알 수 있게 배경 꾸미기

(　　　　　　　　　　)

2 친척을 부르는 말과 친척 관계를 바르게 줄로 연결하세요.

이모 •	• 고모의 남편
고모부 •	• 아버지의 형
큰아버지 •	• 어머니의 여자 형제

3 다음 가족 그림에서 어린이가 설명하고 있는 가족은 누구인가요? (　　　)

① 동생
② 삼촌
③ 어머니
④ 아버지
⑤ 할머니

맞은 개수

✚ 정답 14쪽

4 다음 그림 속 가족 행사를 오른쪽의 가족 행사표에서 찾아 기호를 쓰세요.

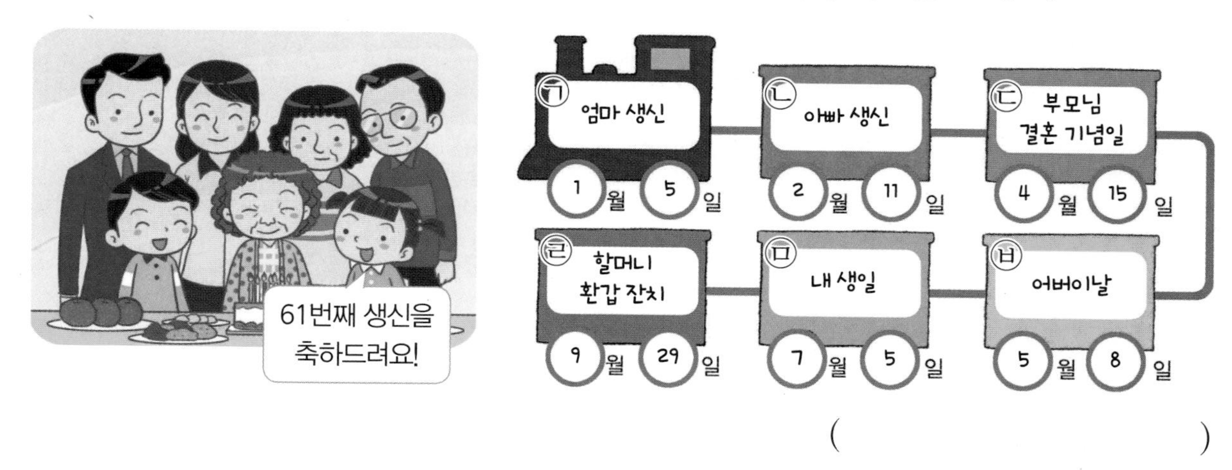

(　　　　　　　　)

5 가족이나 친척에게 지켜야 할 예절로 알맞은 것에 모두 ○표를 하세요.

안녕히 다녀오셨어요?
안녕하세요?
다음에 또 사 주세요.

▲ 부모님이 집에 오셨을 때 (　　　　)

▲ 친척 어른을 만났을 때 (　　　　)

▲ 친척 어른이 선물을 주실 때 (　　　　)

6 다음 여름의 모습을 관찰한 내용과 관계된 감각 기관은 어느 것인가요? (　　　)

- 친구들 땀 냄새가 나고, 운동장에서 흙냄새가 나요.
- 나뭇잎 냄새를 맡아 보니 아무 냄새도 나지 않아요.

① 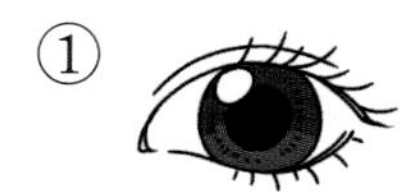
② 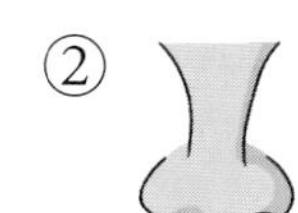
③ 
④ 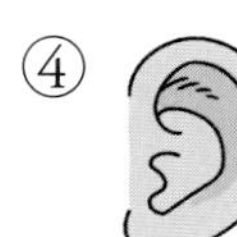
⑤ 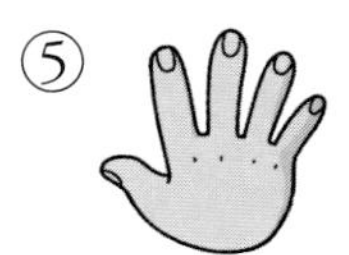

마무리 학습

7 여름철 더위를 이기기 위해 먹는 음식으로 알맞은 것을 모두 찾아 기호를 쓰세요.

▲ 팥빙수를 먹어요.

▲ 수박을 먹어요.

▲ 군고구마를 먹어요.

(　　　　　　　　　　)

8 다음 그림과 같이 에너지 아끼기 운동을 할 때 친구들이 외칠 구호로 알맞은 것은 어느 것인가요? (　　　　)

① 낮에도 전등을 켜 둡시다.
② 에어컨을 많이 사용합시다.
③ 플러그는 계속 꽂아 둡시다.
④ 더울 때는 부채를 사용합시다.
⑤ 냉장고 문을 자주 열고 닫읍시다.

9 다음 보기에서 비를 피하거나 막기 위해 사용하는 물건을 모두 찾아 쓰세요.

보기

▲ 우산　▲ 색안경　▲ 선풍기　▲ 장화

(　　　　　　　　　　)

10 다음과 같이 태풍 놀이를 할 때 '작은 태풍'이 된 어린이를 찾아 기호를 쓰세요.

( )

11 물을 아껴 쓰고 있는 어린이의 모습에 ○표를 하세요.

( )

( )

( )

12 다음 어린이가 표현하고 있는 여름 모습으로 가장 알맞은 것은 어느 것인가요? ( )

① 더워서 부채질하는 모습
② 쨍쨍 내리쬐는 햇볕의 모습
③ 바람에 흔들리는 풀의 모습
④ 원두막에서 수박 먹는 모습
⑤ 비 오는 날 물웅덩이에서 노는 모습

마무리 학습

2회

마무리 학습

기초 종합 정리 문제

1 다음 가족사진 속 가족의 모습에 대해 알맞게 이야기한 어린이에 ○표를 하세요.

삼촌의 결혼식에서 가족과 친척이 모두 모여서 찍은 사진이에요.

사촌 동생의 첫 번째 생일 잔치에서 찍은 사진이에요.

2 다음 중 어머니와 관계된 친척을 두 명 고르세요. (　　　　　)

① 
▲ 큰아버지

② 
▲ 고모

③ 
▲ 외삼촌

④ 
▲ 이모

⑤ 
▲ 고종사촌

3 다음 리듬 악기의 이름을 보기에서 찾아 쓰세요.

보기

• 소고　• 작은북　• 탬버린　• 트라이앵글　• 캐스터네츠

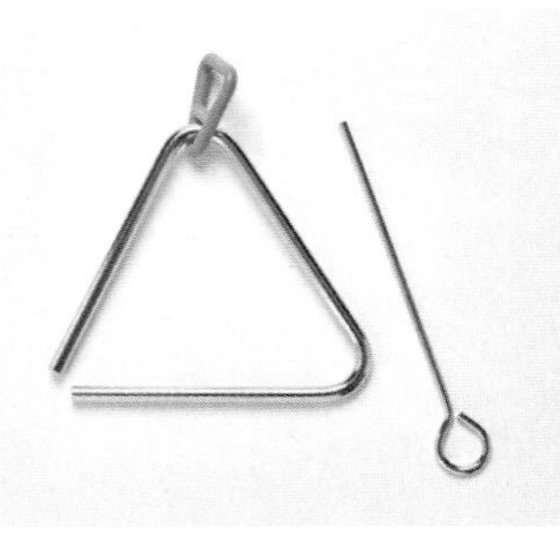
(　　　　　　　)

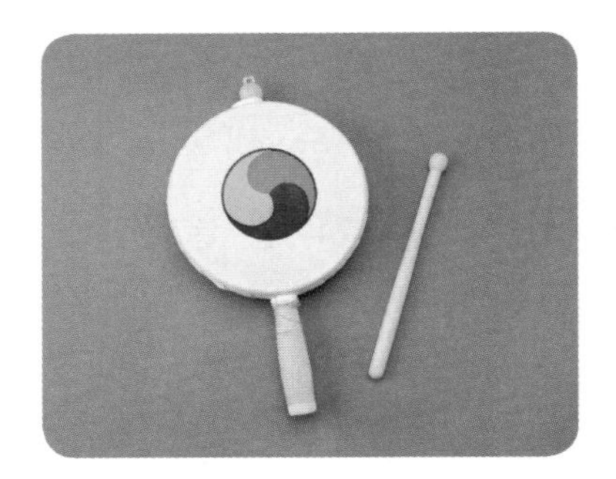
(　　　　　　　)

(　　　　　　　)

맞은 개수

✦ 정답 15쪽

4 다음 그림은 가족과 함께한 일 중에서 무엇을 그린 것인가요? (　　　)

① 이사
② 내 생일
③ 이모의 결혼식
④ 할머니 환갑 잔치
⑤ 바다로 떠난 가족 여행

5 다음 순서에 따라 만든 감사 카드를 찾아 기호를 쓰세요.

흰 도화지를 반으로 접기 ➡ 색 도화지를 반으로 접어 둥글게 자르기 ➡ 흰 도화지에 색 도화지 붙이기 ➡ 글을 쓰고 꾸미기

㉠

㉡

(　　　　　　　　)

6 다음 노랫말을 보고, 노래의 제목을 쓰세요.

우	물		가		엔	나		무	형	제	
하	늘		에		는	별		이	형	제	
우	리		집		엔	나	와	언	니		

(　　　　　　　　)

마무리 학습

7 다음과 같은 노랫말을 주고받으며 하는 놀이는 무엇인가요? (   )

해야 해야
나오너라
저 건넬랑
음달 지고

① 태풍 놀이
② 모여라 놀이
③ 숫 골인 놀이
④ 기차 잇기 놀이
⑤ 해 정하기 놀이

8 여름철에 볼 수 있는 생활 모습으로 알맞은 것에 ○표를 하세요.

▲ 목도리를 해요.
(   )

▲ 물놀이를 해요.
(   )

▲ 난로를 틀어요.
(   )

9 여름철에 사람들이 사용하는 도구와 쓰임새를 알맞게 줄로 연결하세요.

도구		쓰임새
비옷 •		• 습기를 없애요.
제습기 •		• 홍수 피해를 막아요.
모래주머니 •		• 비를 가리거나 피해요.

10 투명 필름과 빨대를 이용하여 만든 우산을 찾아 기호를 쓰세요.

( )

11 여름에 꼭 필요해 놀이를 하는 모습을 보고, ㉠ 어린이가 속한 편에 ○표를 하세요.

❶ 해 마을 편 ☐

❷ 비 마을 편 ☐

12 다음 그림에서 표현한 일로 알맞은 것은 어느 것인가요? ( )

① 바닷가에서 물놀이를 했던 일
② 주말농장에서 감자를 캤던 일
③ 가족과 시원한 수박을 먹었던 일
④ 비 오는 날 우산을 쓰고 학교에 갔던 일
⑤ 태풍이 불어 길가의 나무가 부러졌던 일

마무리 학습

마무리 학습

학력 진단 TEST 1회

1 친척을 부르는 말이 바르게 짝 지어진 것은 어느 것인가요? (　　　　)

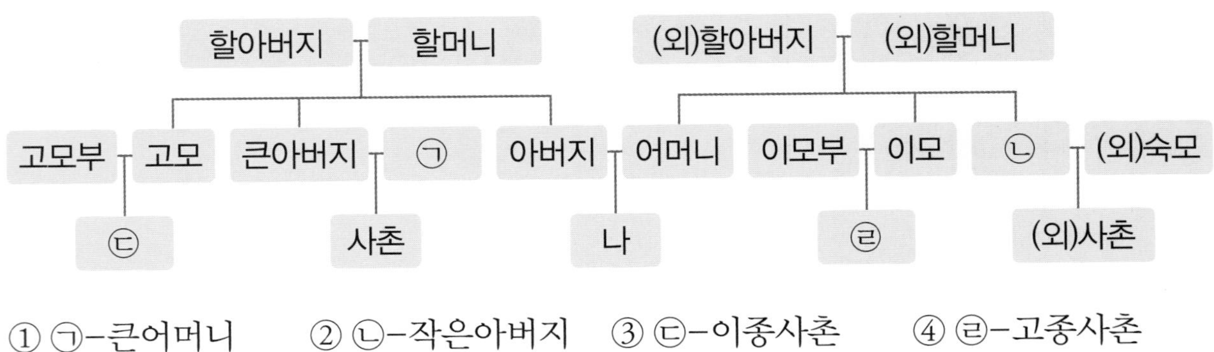

① ㉠-큰어머니　② ㉡-작은아버지　③ ㉢-이종사촌　④ ㉣-고종사촌

2 다음 그림 속 놀이의 이름을 보기 에서 찾아 쓰세요.

보기
- 모여라 놀이
- 숫 골인 놀이
- 기차 잇기 놀이

(　　　　　　　) (　　　　　　　) (　　　　　　　)

3 가족이나 친척을 위해 내가 할 수 있는 일을 바르게 이야기한 어린이를 쓰세요.

(　　　　　　　)

4 다음 그림에서 더위를 이기기 위해 사용하고 있는 도구는 어느 것인가요? (   )

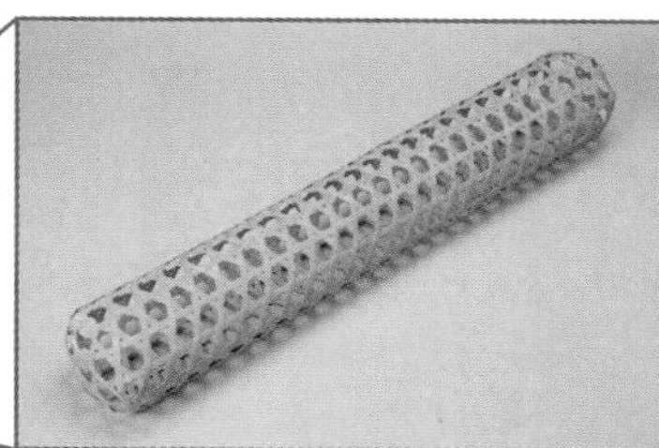

① 양산
② 부채
③ 에어컨
④ 죽부인

5 다음 설명과 관계된 여름 날씨를 찾아 기호를 쓰세요.

- 빨래가 잘 마르지 않아요.
- 집 안의 습기를 없애기 위해 제습기를 사용해요.
- 홍수가 일어나기도 해요.

(   )

6 다음과 같은 방법으로 빗방울을 표현한 작품에 ○표를 하세요.

접시에 물감을 담아요. ➡ 스펀지에 물감을 묻혀요. ➡ 스펀지를 도화지에 찍어 표현해요.

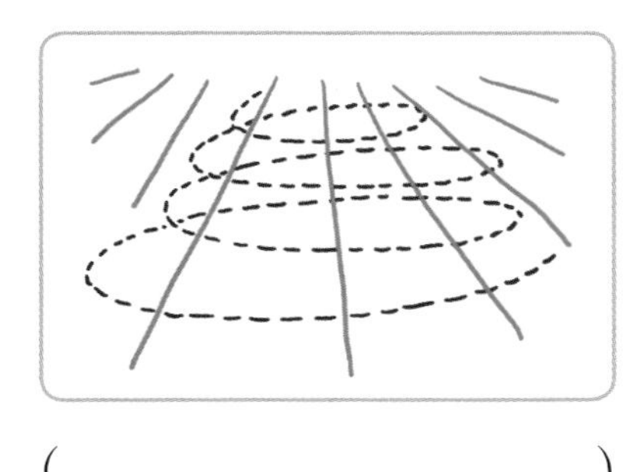
(   )

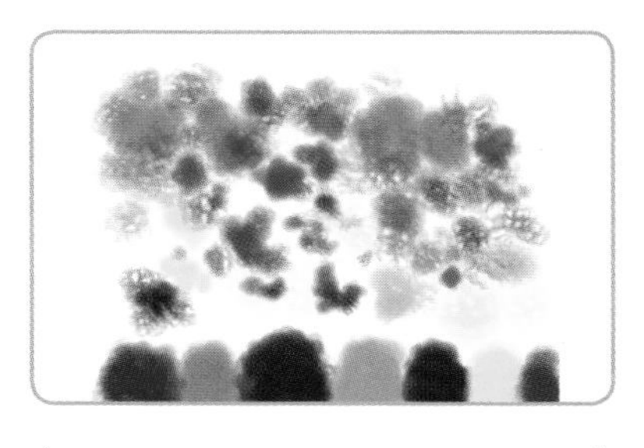
(   )

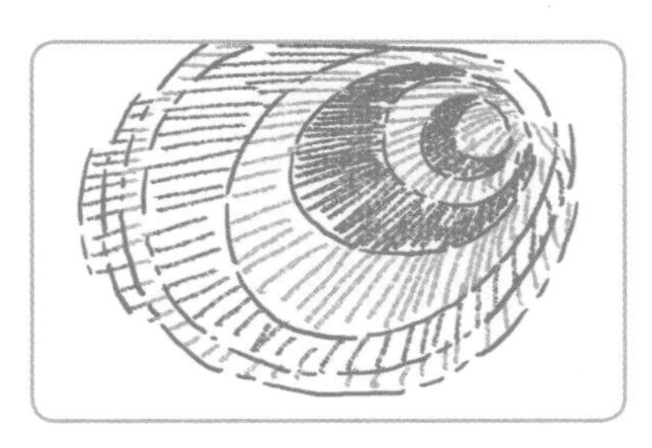
(   )

마무리 학습 2회

학력 진단 TEST

1 다음 가족사진을 보고, 빈칸에 알맞은 가족 행사를 쓰세요.

☐☐☐에서 가족과 친척들이 모두 모여 찍은 사진

할머니의 ☐☐을 축하하는 자리에서 찍은 사진

2 다음과 같은 방법으로 연주하는 리듬 악기는 어느 것인가요? (　　　)

한 손으로 악기를 쥐고, 다른 손에 든 채로 여러 가지 동작을 하면서 북면을 쳐요.

① 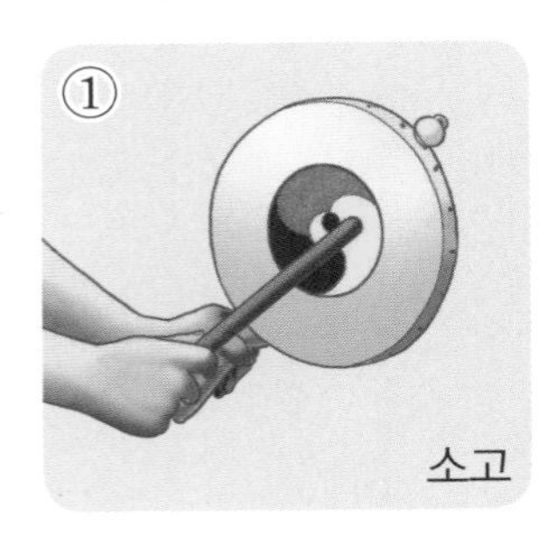
소고

② 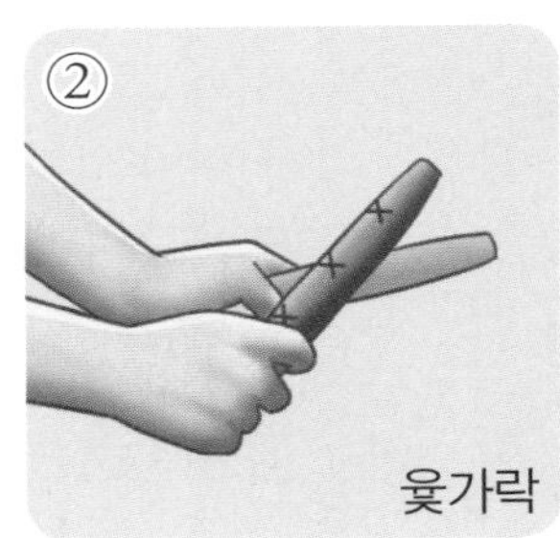
윷가락

③ 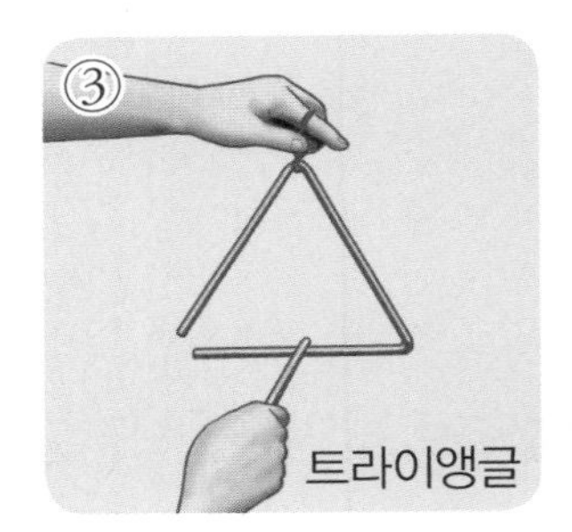
트라이앵글

④ 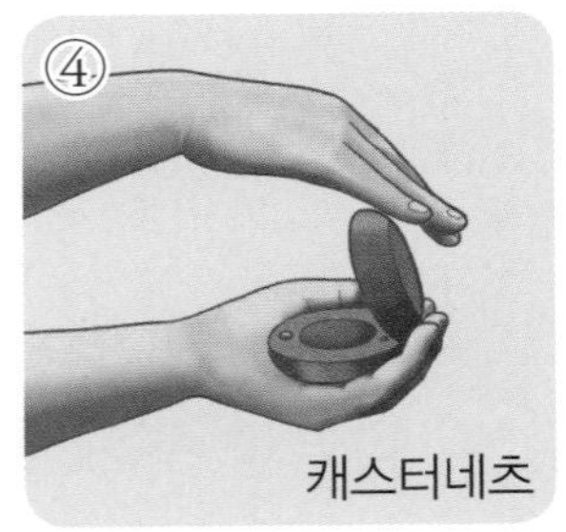
캐스터네츠

3 가족 역할놀이를 할 때, ㉠ 어린이에게 해 줄 수 있는 말로 알맞은 것에 ○표를 하세요.

식사를 할 때에는 다른 물건을 만지거나 가지고 놀면 안 돼.	부모님이 바깥에서 집에 돌아오시면 현관으로 나가서 인사를 해야 해.
☐	☐

✚ 정답 16쪽

4 에너지 절약 실천 방법으로 알맞은 것에 모두 ○표를 하세요.

에너지 절약 실천 방법

- 전등은 항상 켜 두기 (　　　)
- 적정한 실내 온도(26~28℃) 유지하기 (　　　)
- 선풍기나 부채보다는 에어컨 사용하기 (　　　)
- 냉장고의 문을 열고 닫는 횟수 줄이기 (　　　)

5 다음과 같은 여름 날씨가 우리 생활에 미치는 좋은 점은 무엇인가요? (　　　)

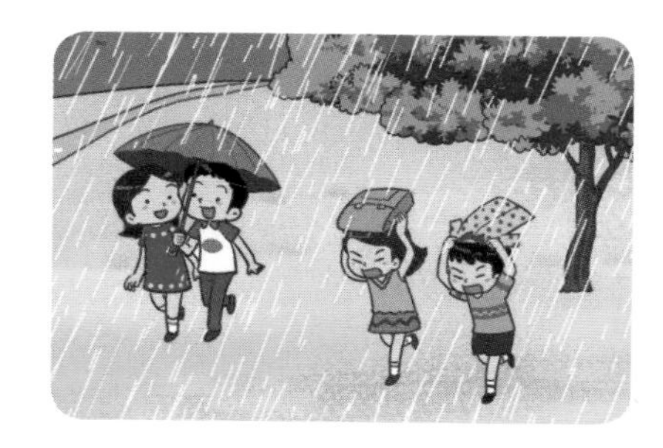

① 농작물이 잘 자라요.
② 빨래가 잘 마르지 않아요.
③ 홍수 때문에 집이 물에 잠겨요.
④ 바람이 세게 불어서 나무가 부러져요.

6 여름에 꼭 필요해 놀이를 할 때 다음 두 마을의 어린이가 각각 가져와야 하는 사진을 보기에서 모두 찾아 쓰세요.

보기

▲ 비옷　▲ 선풍기　▲ 장화　▲ 색안경　▲ 제습기

해 마을 편	비 마을 편

memo

기초
학습능력 강화
프로그램

정답

바른 생활
슬기로운 생활
즐거운 생활

1-1

차례

정답

1주 1일
11쪽
개념 익히기
1 다음 중 가족사진에 해당하는 것에 ○표를 하세요.
지난 여름 아빠, 엄마, 동생과 캠핑하러 가서 찍은 사진 ○
봄 소풍을 갔을 때 공원에서 우리 반 친구들과 찍은 사진
옆집 집들이에 초대를 받아 이웃들과 함께 찍은 사진
2 다음 가족사진을 보고, 빈칸에 알맞은 가족 행사를 쓰세요.
사촌 동생의 첫 번째 생일 잔치인 돌잔치에서 찍었어요.
작년 여름 방학에 바닷가로 가족 여행을 가서 찍었어요.
3 다음 제목과 어울리는 가족사진의 붙임 딱지를 붙여 보세요.
삼촌 결혼식에서
할머니 생신 잔치에서
1주 학습 • 11

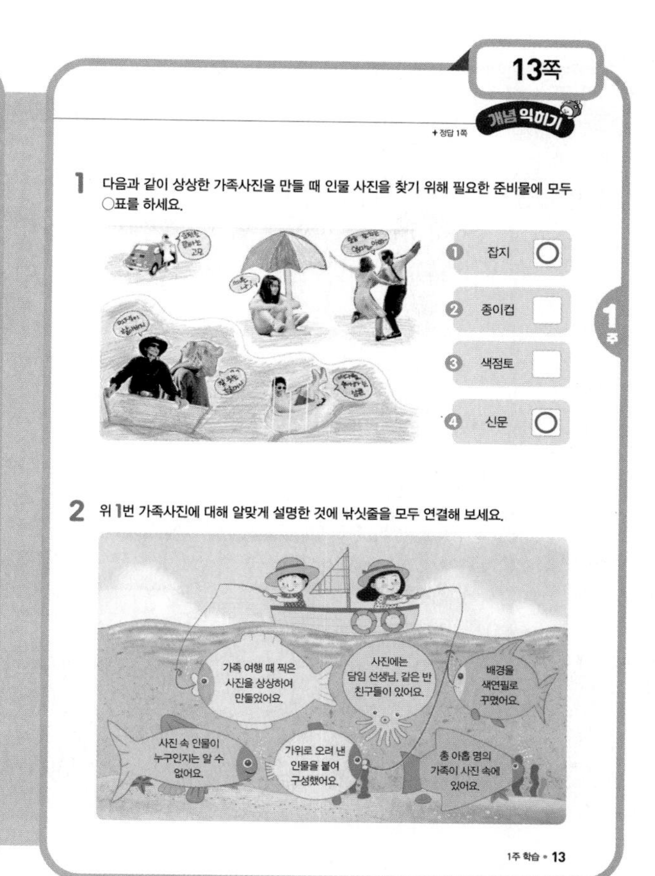

13쪽
개념 익히기
1 다음과 같이 상상한 가족사진을 만들 때 인물 사진을 찾기 위해 필요한 준비물에 모두 ○표를 하세요.
① 잡지 ○
② 종이컵
③ 색점토
④ 신문 ○
2 위 1번 가족사진에 대해 알맞게 설명한 것에 낚싯줄을 모두 연결해 보세요.
가족 여행 때 찍은 사진을 상상하여 만들었어요.
사진에는 담임 선생님, 같은 반 친구들이 있어요.
배경을 색연필로 꾸몄어요.
사진 속 인물이 누구인지는 알 수 없어요.
가위로 오려 낸 인물을 붙여 구성했어요.
총 아홉 명의 가족이 사진 속에 있어요.
1주 학습 • 13

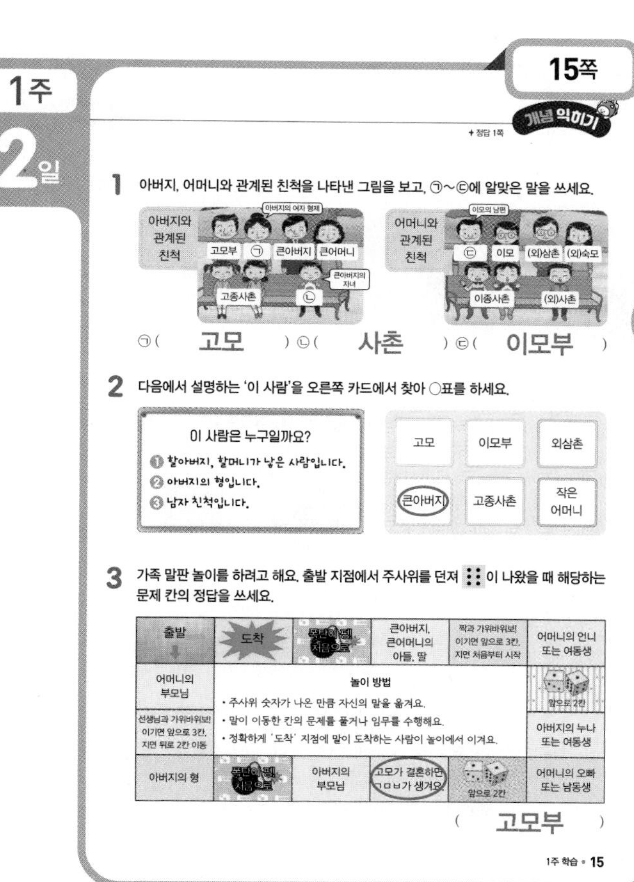

1주 2일
15쪽
개념 익히기
1 아버지, 어머니와 관계된 친척을 나타낸 그림을 보고, ㉠~㉢에 알맞은 말을 쓰세요.
㉠ (고모) ㉡ (사촌) ㉢ (이모부)
2 다음에서 설명하는 '이 사람'을 오른쪽 카드에서 찾아 ○표를 하세요.
이 사람은 누구일까요?
① 할아버지, 할머니가 낳은 사람입니다.
② 아버지의 형입니다.
③ 남자 친척입니다.
고모 이모부 외삼촌 큰아버지 고종사촌 작은어머니
3 가족 말판 놀이를 하려고 해요. 출발 지점에서 주사위를 던져 이 나왔을 때 해당하는 문제 칸의 정답을 쓰세요.
(고모부)
1주 학습 • 15

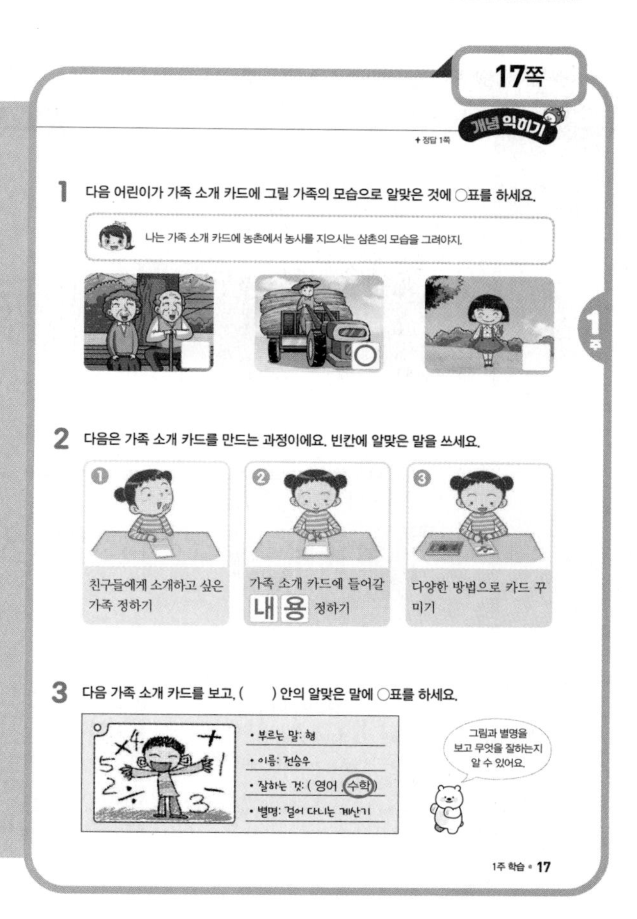

17쪽
개념 익히기
1 다음 어린이가 가족 소개 카드에 그릴 가족의 모습으로 알맞은 것에 ○표를 하세요.
나는 가족 소개 카드에 농촌에서 농사를 지으시는 삼촌의 모습을 그려야지.
2 다음은 가족 소개 카드를 만드는 과정이에요. 빈칸에 알맞은 말을 쓰세요.
① 친구들에게 소개하고 싶은 가족 정하기
② 가족 소개 카드에 들어갈 내용 정하기
③ 다양한 방법으로 카드 꾸미기
3 다음 가족 소개 카드를 보고, ( ) 안의 알맞은 말에 ○표를 하세요.
• 부르는 말: 형
• 이름: 전승우
• 잘하는 것: (영어, 수학)
• 별명: 걸어 다니는 계산기
그림과 별명을 보고 무엇을 잘하는지 알 수 있어요.
1주 학습 • 17

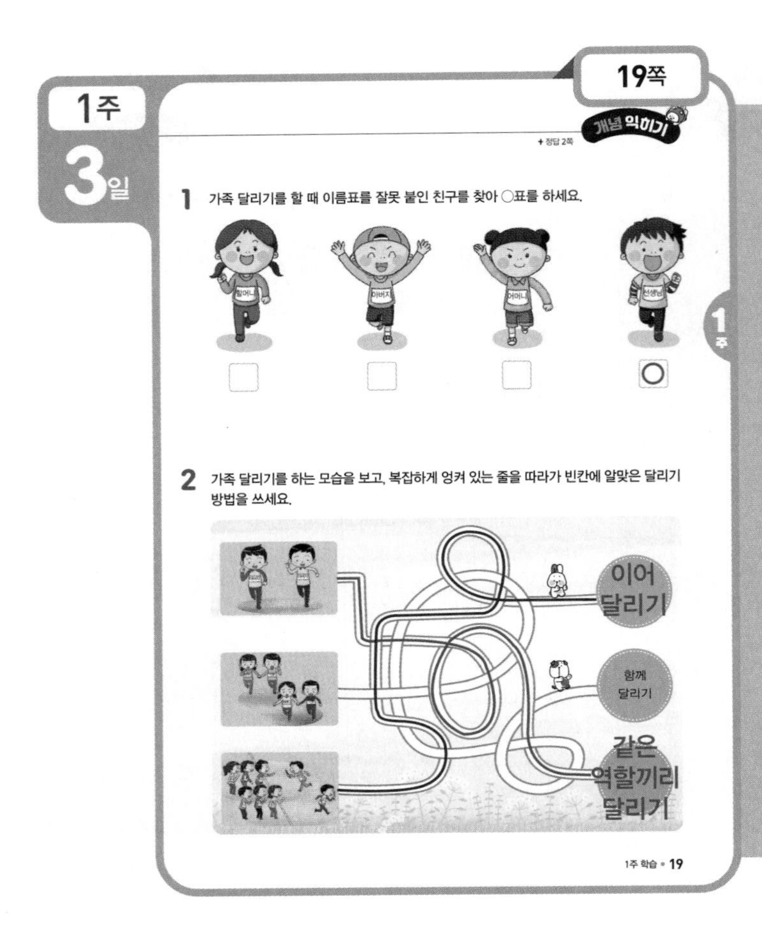
1주 3일

19쪽

개념 익히기

✦ 정답 2쪽

1 가족 달리기를 할 때 이름표를 잘못 붙인 친구를 찾아 ○표를 하세요.

( ) ( ) ( ) (○)

2 가족 달리기를 하는 모습을 보고, 복잡하게 엉켜 있는 줄을 따라가 빈칸에 알맞은 달리기 방법을 쓰세요.

이어 달리기

함께 달리기

같은 역할끼리 달리기

21쪽

개념 익히기

✦ 정답 2쪽

1 다음 어린이가 설명하고 있는 가족 그림으로 알맞은 것에 ○표를 하세요.

태권도 사범인 우리 아버지는 키도 크고 매우 용감하십니다. 우리 어머니는 노래하는 것을 좋아하시고 항상 잘 웃으십니다. 어머니 옆에 있는 제 동생은 공룡 박사입니다.

( ) (○) ( )

2 다음 가족의 특징에 알맞은 붙임 딱지를 붙여 가족 그림을 완성해 보세요. 붙임 딱지 1

- 컴퓨터를 잘하시는 아버지
- 지팡이를 짚고 다니시는 할머니
- 요리하는 것을 좋아하시는 어머니
- 노래를 잘하는 내 동생

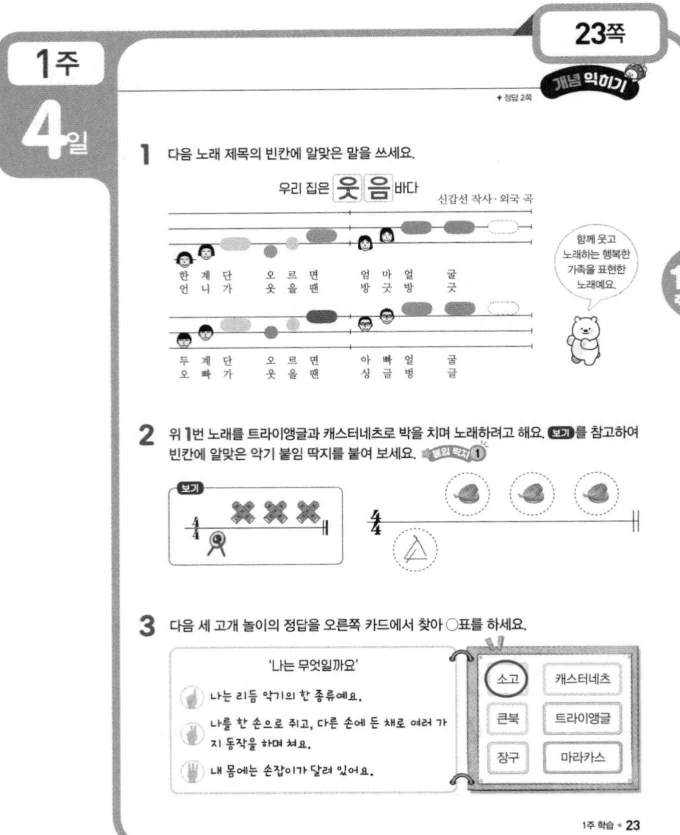
1주 4일

23쪽

개념 익히기

✦ 정답 2쪽

1 다음 노래 제목의 빈칸에 알맞은 말을 쓰세요.

우리 집은 웃음 바다

신갑선 작사 · 외국 곡

한 계 단 오 르 면 엄 마 얼 굴
언 니 가 웃 음 팬 방 긋 방 긋

두 계 단 오 르 면 아 빠 얼 굴
오 빠 가 웃 음 팬 싱 글 벙 글

함께 웃고 노래하는 행복한 가족을 표현한 노래예요.

2 위 1번 노래를 트라이앵글과 캐스터네츠로 박을 치며 노래하려고 해요. 보기를 참고하여 빈칸에 알맞은 악기 붙임 딱지를 붙여 보세요. 붙임 딱지 1

보기

3 다음 세 고개 놀이의 정답을 오른쪽 카드에서 찾아 ○표를 하세요.

'나는 무엇일까요'

나는 리듬 악기의 한 종류예요.

나를 한 손으로 쥐고, 다른 손에 든 채로 여러 가지 동작을 하며 쳐요.

내 몸에는 손잡이가 달려 있어요.

(소고)	캐스터네츠
큰북	트라이앵글
장구	마라카스

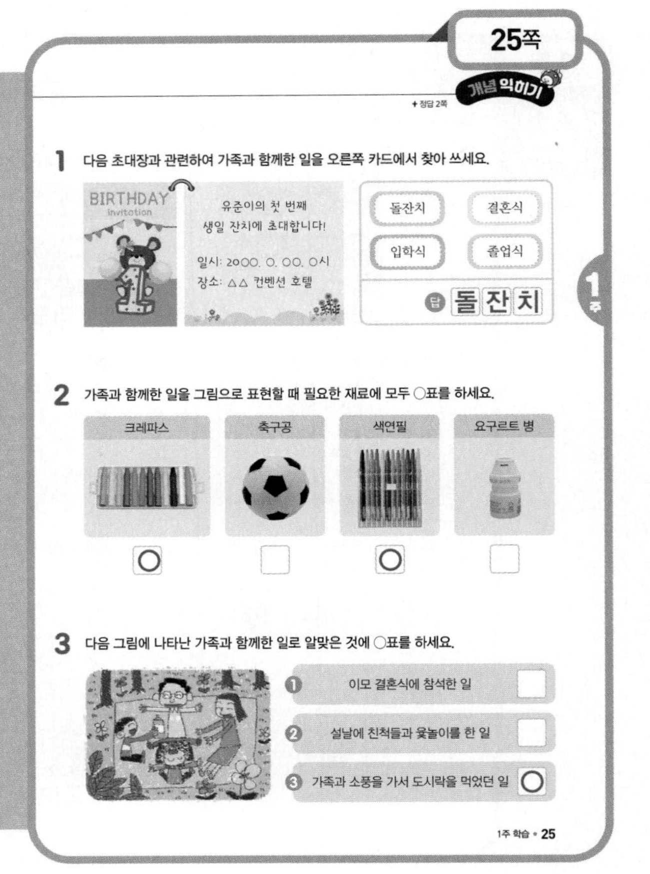
25쪽

개념 익히기

✦ 정답 2쪽

1 다음 초대장과 관련하여 가족과 함께한 일을 오른쪽 카드에서 찾아 쓰세요.

BIRTHDAY Invitation

유준이의 첫 번째 생일 잔치에 초대합니다!

일시: 20○○. ○. ○○. ○시

장소: △△ 컨벤션 호텔

돌잔치	결혼식
입학식	졸업식

답 돌잔치

2 가족과 함께한 일을 그림으로 표현할 때 필요한 재료에 모두 ○표를 하세요.

크레파스	축구공	색연필	요구르트 병
○		○	

3 다음 그림에 나타난 가족과 함께한 일로 알맞은 것에 ○표를 하세요.

① 이모 결혼식에 참석한 일 ( )

② 설날에 친척들과 윷놀이를 한 일 ( )

③ 가족과 소풍을 가서 도시락을 먹었던 일 (○)

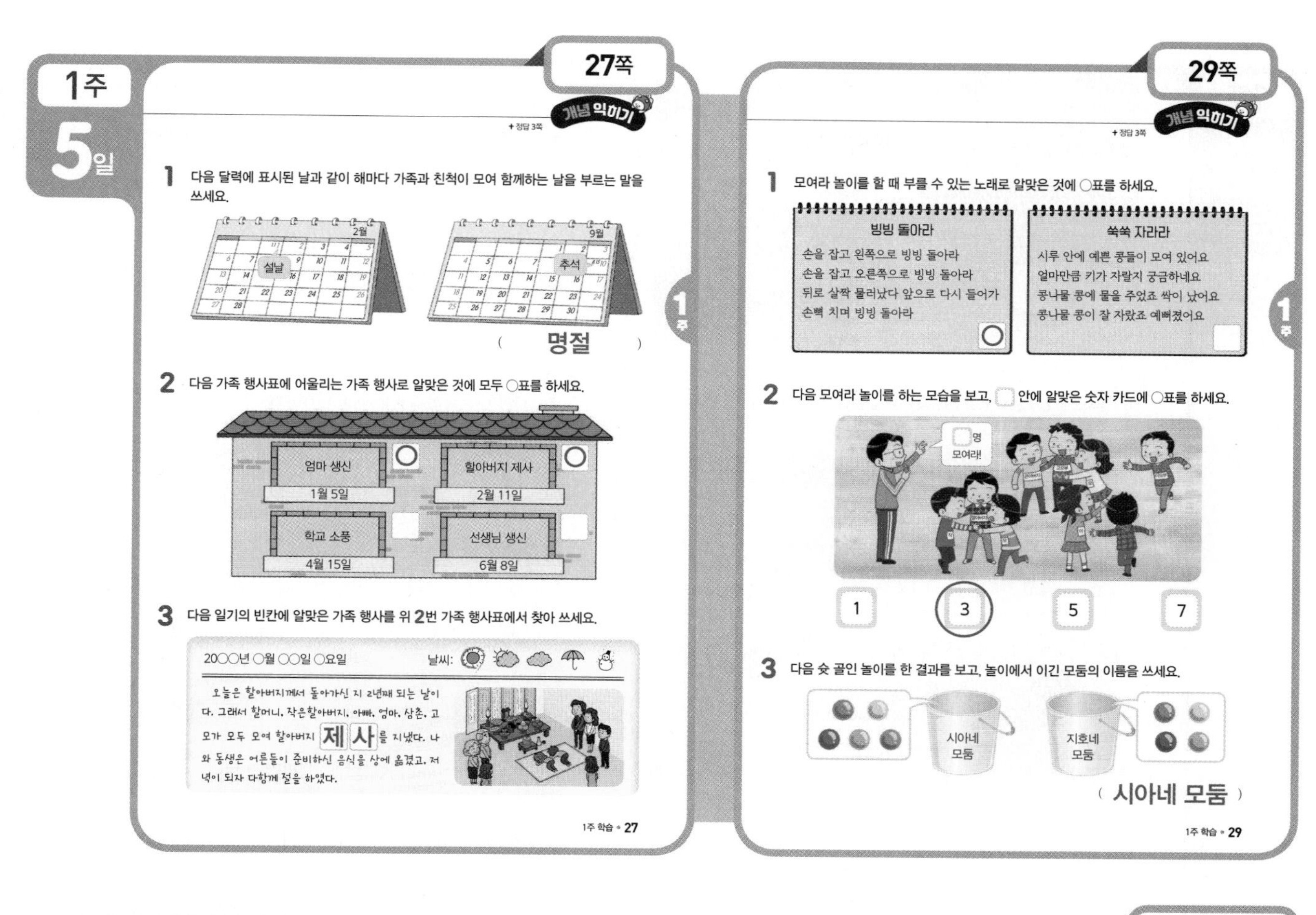

1주 5일

27쪽

개념 익히기

+ 정답 3쪽

1 다음 달력에 표시된 날과 같이 해마다 가족과 친척이 모여 함께하는 날을 부르는 말을 쓰세요.

(명절)

2 다음 가족 행사표에 어울리는 가족 행사로 알맞은 것에 모두 ○표를 하세요.

행사	날짜	답
엄마 생신	1월 5일	○
할아버지 제사	2월 11일	○
학교 소풍	4월 15일	
선생님 생신	6월 8일	

3 다음 일기의 빈칸에 알맞은 가족 행사를 위 2번 가족 행사표에서 찾아 쓰세요.

20○○년 ○월 ○○일 ○요일 날씨:

오늘은 할아버지께서 돌아가신 지 2년째 되는 날이다. 그래서 할머니, 작은할아버지, 아빠, 엄마, 삼촌, 고모가 모두 모여 할아버지 [제사]를 지냈다. 나와 동생은 어른들이 준비하신 음식을 상에 옮겼고, 저녁이 되자 다함께 절을 하였다.

1주 학습 • 27

29쪽

개념 익히기

+ 정답 3쪽

1 모여라 놀이를 할 때 부를 수 있는 노래로 알맞은 것에 ○표를 하세요.

빙빙 돌아라

손을 잡고 왼쪽으로 빙빙 돌아라
손을 잡고 오른쪽으로 빙빙 돌아라
뒤로 살짝 물러났다 앞으로 다시 들어가
손뼉 치며 빙빙 돌아라

(○)

쑥쑥 자라라

시루 안에 예쁜 콩들이 모여 있어요
얼마만큼 키가 자랄지 궁금하네요
콩나물 콩에 물을 주었죠 싹이 났어요
콩나물 콩이 잘 자랐죠 예뻐졌어요

( )

2 다음 모여라 놀이를 하는 모습을 보고, □ 안에 알맞은 숫자 카드에 ○표를 하세요.

1 ③ 5 7

3 다음 숫 골인 놀이를 한 결과를 보고, 놀이에서 이긴 모둠의 이름을 쓰세요.

(시아네 모둠)

1주 학습 • 29

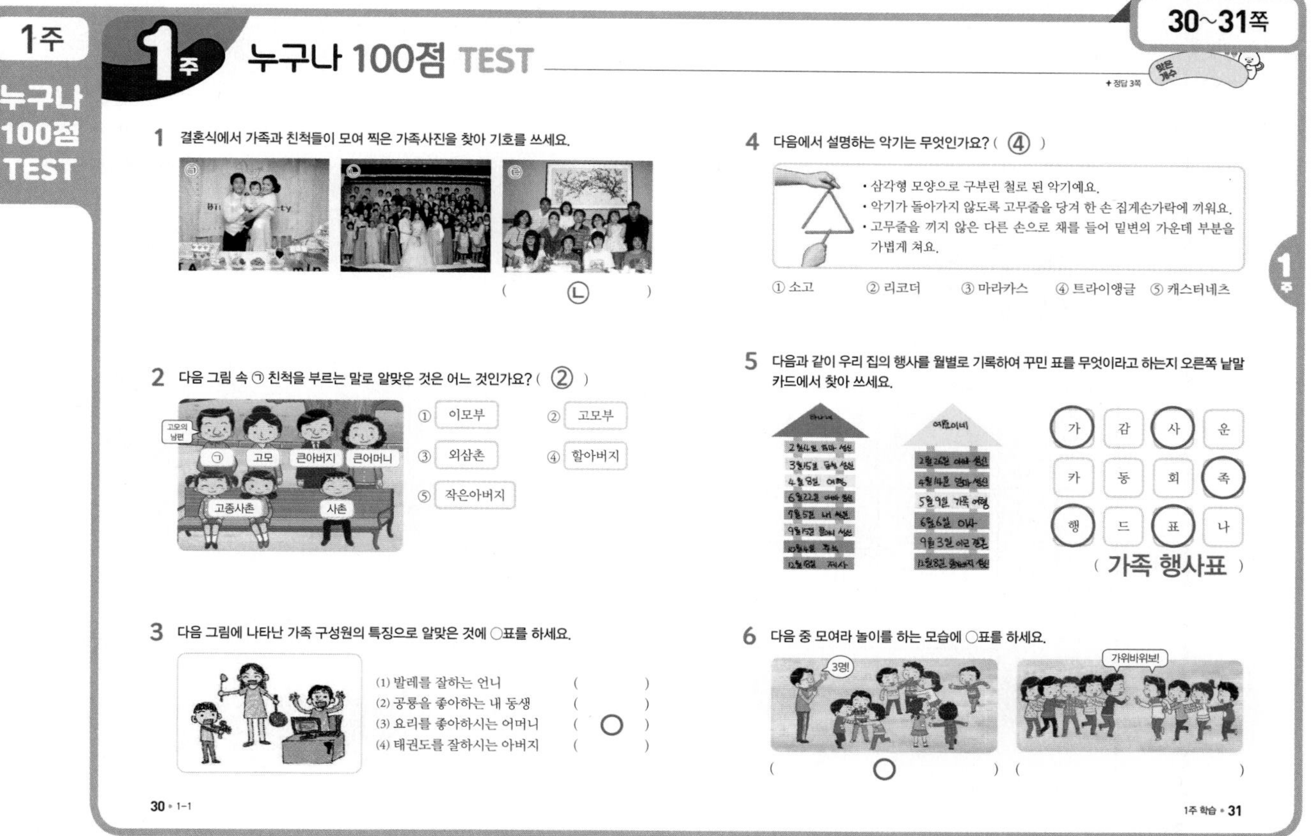

1주 누구나 100점 TEST

30~31쪽

1주 누구나 100점 TEST

+ 정답 3쪽

1 결혼식에서 가족과 친척들이 모여 찍은 가족사진을 찾아 기호를 쓰세요.

(㉡)

2 다음 그림 속 ㉠ 친척을 부르는 말로 알맞은 것은 어느 것인가요? (②)

① 이모부 ② 고모부 ③ 외삼촌 ④ 할아버지 ⑤ 작은아버지

3 다음 그림에 나타난 가족 구성원의 특징으로 알맞은 것에 ○표를 하세요.

(1) 발레를 잘하는 언니 ( )
(2) 공룡을 좋아하는 내 동생 ( )
(3) 요리를 좋아하시는 어머니 (○)
(4) 태권도를 잘하시는 아버지 ( )

4 다음에서 설명하는 악기는 무엇인가요? (④)

- 삼각형 모양으로 구부린 철로 된 악기예요.
- 악기가 돌아가지 않도록 고무줄을 당겨 한 손 집게손가락에 끼워요.
- 고무줄을 끼지 않은 다른 손으로 채를 들어 밑변의 가운데 부분을 가볍게 쳐요.

① 소고 ② 리코더 ③ 마라카스 ④ 트라이앵글 ⑤ 캐스터네츠

5 다음과 같이 우리 집의 행사를 월별로 기록하여 꾸민 표를 무엇이라고 하는지 오른쪽 낱말 카드에서 찾아 쓰세요.

가	감	사	운
카	동	회	족
행	드	표	나

(가족 행사표)

6 다음 중 모여라 놀이를 하는 모습에 ○표를 하세요.

(○) ( )

30 • 1-1 1주 학습 • 31

정답

1주 창의·융합·코딩

32~37쪽

누이 좋고
매부 좋다는
말이네.

누이 좋고 매부 좋다
→ 누나 또는 여동생
→ 누이의 남편

누이에게 좋은 일이면 매부에게도 좋다는 말로,

어떤 일이 서로에게 이롭다는 뜻이지.

너의 생일을 축하해 주면서 친척들끼리 얼굴도 함께 볼 수 있는 것처럼 말이야.

하하하

호호

'누이 좋고 매부 좋다.'라는 속담에 대해 알아봐요!

누이는 같은 부모님에게서 태어난 사람들 중 남자가 여자 형제를 이르는 말이고, 매부는 누이의 남편을 말해요. '누이 좋고 매부 좋다.'는 누이에게 좋은 일이면 누이의 남편인 매부에게도 좋다는 말로, 어떤 일이 양쪽 모두에게 이롭고 좋다는 것을 비유적으로 이르는 것이지요.

퀴즈 팡! 어떤 일이 양쪽 모두에게 이롭고 좋다는 뜻의 속담은?

답 누이 좋고 매부 좋다

융합

1 은우네 반 친구들이 가족과 함께 찍은 사진을 전시하였어요. 설명을 읽고, 빈칸에 알맞은 숫자를 써 보세요.

은우네 가족
놀이공원에서 놀이 기구를 타기 전에 가족이 함께 찍은 사진으로, 가족 구성원이 총 3명이에요.

로아네 가족
아버지 생신을 축하하는 자리에서 가족이 함께 찍은 사진으로, 은우네 가족보다 ❶ 3 명이 더 많아요.

도현이네 가족
도현이 형 졸업식에서 가족이 함께 찍은 사진으로, 로아네 가족보다 ❷ 2 명이 더 적어요.

채원이네 가족
채원이 동생 돌잔치에서 가족이 함께 찍은 사진으로, 도현이네 가족보다 ❸ 1 명이 더 많아요.

창의

2 나현이가 고모의 생일을 맞아 고모 집에 가려고 해요. 친척을 부르는 말로 알맞은 것을 따라 고모 집까지 가는 길을 선으로 이어 보세요.

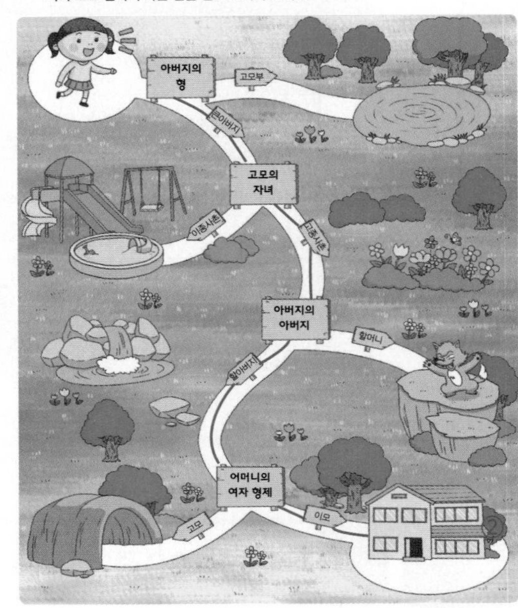

코딩

3 민호는 학급 음악회에 필요한 악기를 사기 위해 악기 상점에 갔어요. 코딩 명령을 따라 갈 때 살 수 있는 악기에 모두 ○표를 하세요.

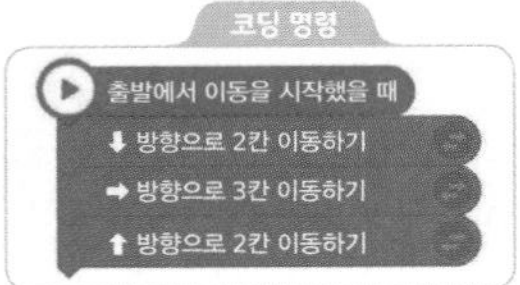

코딩 명령
출발에서 이동을 시작했을 때
⬇ 방향으로 2칸 이동하기
➡ 방향으로 3칸 이동하기
⬆ 방향으로 2칸 이동하기

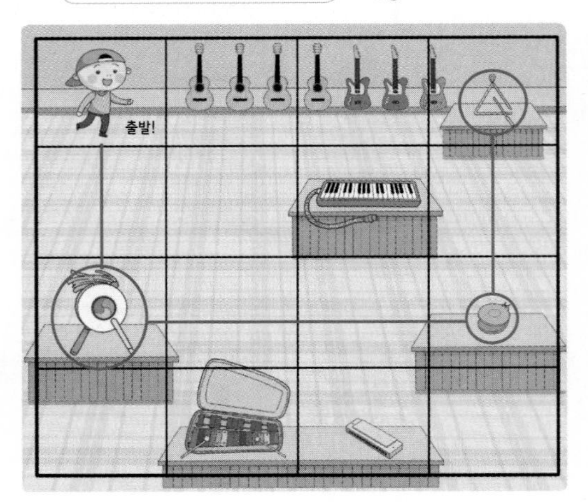

창의

4 가족 행사에 대한 설명을 읽고, 사다리를 타고 내려가 빈칸에 알맞은 붙임 딱지를 붙여 가족 행사표를 완성해 보세요. 붙임 딱지 1

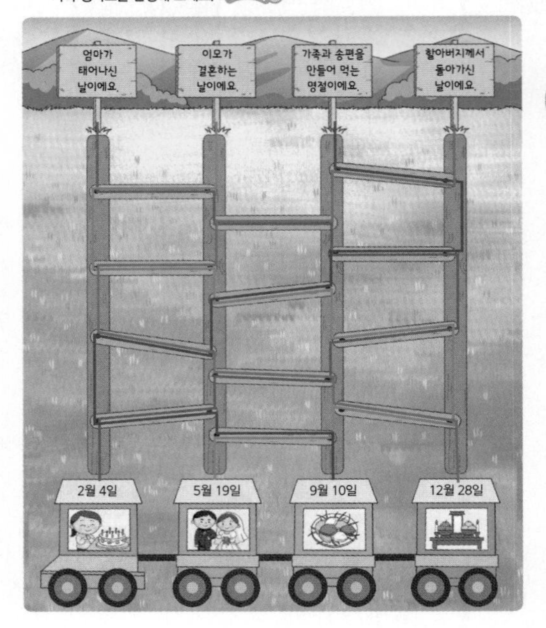

엄마가 태어나신 날이에요.
이모가 결혼하는 날이에요.
가족과 송편을 만들어 먹는 명절이에요.

5월 19일
9월 10일

2주 1일

43쪽

개념 익히기

✦ 정답 5쪽

1 다음 상황에 알맞은 인사말의 붙임 딱지를 붙여 보세요. 붙임 딱지 2

2 상황에 맞는 예절 바른 행동에 ○표를 하세요.

2주 학습 • 43

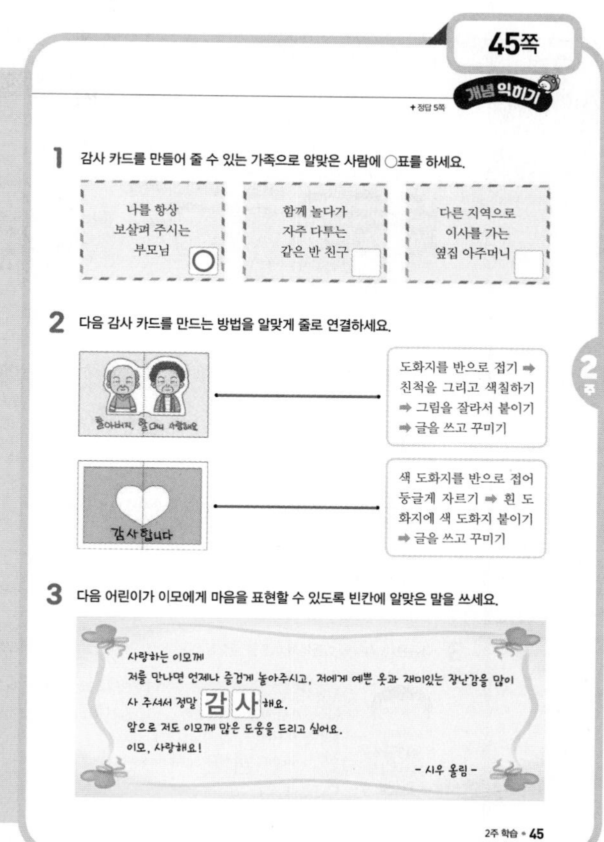

45쪽

개념 익히기

✦ 정답 5쪽

1 감사 카드를 만들어 줄 수 있는 가족으로 알맞은 사람에 ○표를 하세요.

나를 항상 보살펴 주시는 부모님 ○	함께 놀다가 자주 다투는 같은 반 친구	다른 지역으로 이사를 가는 옆집 아주머니

2 다음 감사 카드를 만드는 방법을 알맞게 줄로 연결하세요.

- 도화지를 반으로 접기 ➡ 친척을 그리고 색칠하기 ➡ 그림을 잘라서 붙이기 ➡ 글을 쓰고 꾸미기
- 색 도화지를 반으로 접어 둥글게 자르기 ➡ 흰 도화지에 색 도화지 붙이기 ➡ 글을 쓰고 꾸미기

3 다음 어린이가 이모에게 마음을 표현할 수 있도록 빈칸에 알맞은 말을 쓰세요.

사랑하는 이모께
저를 만나면 언제나 즐겁게 놀아주시고, 저에게 예쁜 옷과 재미있는 장난감을 많이 사 주셔서 정말 감 사 해요.
앞으로 저도 이모께 많은 도움을 드리고 싶어요.
이모, 사랑해요!
- 시우 올림 -

2주 학습 • 45

2주 2일

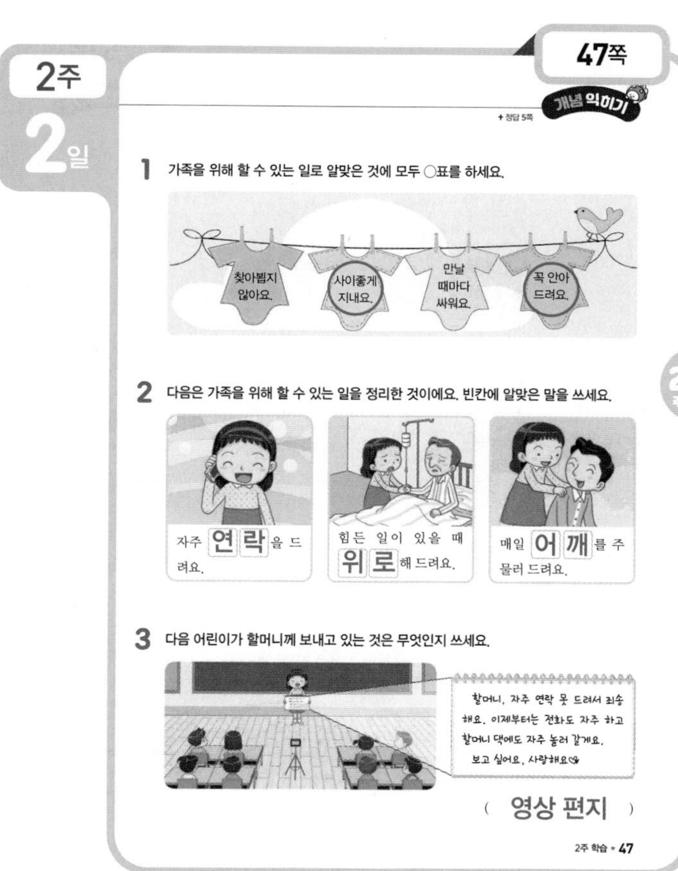

47쪽

개념 익히기

✦ 정답 5쪽

1 가족을 위해 할 수 있는 일로 알맞은 것에 모두 ○표를 하세요.

2 다음은 가족을 위해 할 수 있는 일을 정리한 것이에요. 빈칸에 알맞은 말을 쓰세요.

자주 연 락 을 드려요.	힘든 일이 있을 때 위 로 해 드려요.	매일 어 깨 를 주물러 드려요.

3 다음 어린이가 할머니께 보내고 있는 것은 무엇인지 쓰세요.

(영상 편지)

2주 학습 • 47

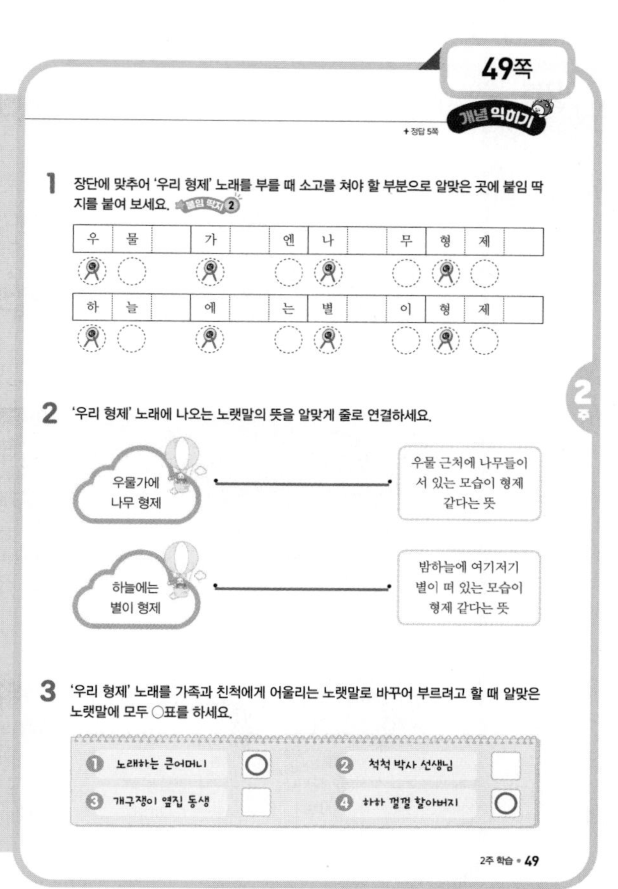

49쪽

개념 익히기

✦ 정답 5쪽

1 장단에 맞추어 '우리 형제' 노래를 부를 때 소고를 쳐야 할 부분으로 알맞은 곳에 붙임 딱지를 붙여 보세요. 붙임 딱지 2

2 '우리 형제' 노래에 나오는 노랫말의 뜻을 알맞게 줄로 연결하세요.

- 우물가에 나무 형제 — 우물 근처에 나무들이 서 있는 모습이 형제 같다는 뜻
- 하늘에는 별이 형제 — 밤하늘에 여기저기 별이 떠 있는 모습이 형제 같다는 뜻

3 '우리 형제' 노래를 가족과 친척에게 어울리는 노랫말로 바꾸어 부르려고 할 때 알맞은 노랫말에 모두 ○표를 하세요.

① 노래하는 큰어머니 ○	② 척척 박사 선생님
③ 개구쟁이 옆집 동생	④ 하하 껄껄 할아버지 ○

2주 학습 • 49

정답

2주 3일

51쪽

개념 익히기

+ 정답 6쪽

1 다음과 같은 모습을 볼 수 있는 계절을 쓰세요.

김장을 해요.
시원한 음식을 먹어요.
두꺼운 옷을 입고 다녀요.
수영장, 바닷가 등에 가요.

비가 많이 내려요.

물놀이를 해요.

(여름)

2 다음과 같이 여름을 느낄 수 있는 우리 몸의 감각 기관에 해당하는 붙임 딱지를 붙여 보세요. 붙임 딱지 2

 초록색 나뭇잎이 많고, 둥근 모양의 나뭇잎이 있어요.

 운동장에서 흙냄새가 나고, 친구들 땀 냄새가 나요.

 나무가 거칠고, 햇빛이 따가우며, 몸이 끈적거려요.

3 다음은 ㉠ 감각을 이용하여 여름을 관찰한 내용이에요. 빈칸에 알맞은 말을 쓰세요.

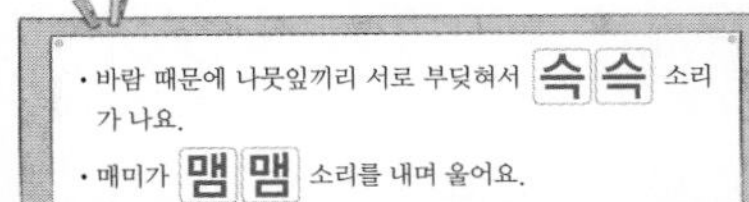

- 바람 때문에 나뭇잎끼리 서로 부딪혀서 **쏵 쏵** 소리가 나요.
- 매미가 **맴 맴** 소리를 내며 울어요.

53쪽

개념 익히기

+ 정답 6쪽

[1~3] 다음 전래 동요를 보고, 물음에 답하세요.

㉠	야		㉠	야		나	오	너	라		
저	건		넬	랑		음	달	지	고		
이	건		넬	랑		㉠	나	오	고		

1 위 ㉠에 공통으로 들어갈 알맞은 것에 ○표를 하세요.

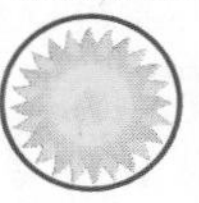   

2 위 노래를 주고받으며 할 수 있는 놀이에 ○표를 하세요.

그림자 친구 잡기 놀이

3 위 2번 답의 놀이를 하는 모습을 보고, 빈칸에 알맞은 말을 쓰세요.

두 편으로 나누어 노랫말을 주고받아요.

→

가위바위보에서 지면 상대편으로 가요.

→

사람이 많은 편이 **해**가 되어요.

2주 4일

55쪽

+ 정답 6쪽

1 여름철 사람들의 생활 모습으로 알맞은 것에 모두 ○표를 하세요.

2 다음 그림에서 사람들이 더위를 이기기 위해 사용하는 도구를 세 가지 이상 쓰세요.

(예 양산, 색안경, 죽부인, 에어컨, 선풍기)

3 다음은 여름을 잘 보내기 위해 해야 할 일이에요. 빈칸에 알맞은 말을 쓰세요.

땀을 많이 흘리므로 **물**을 많이 마셔요.

에어컨의 온도를 너무 낮추지 않아요.

냉장고에 음식물을 보관해요.

57쪽

개념 익히기

+ 정답 6쪽

1 다음은 에너지가 낭비되고 있는 모습이에요. 빈칸에 알맞은 말을 쓰세요.

창문을 열어 둔 채 켜 놓은 에어컨
밝은 낮인데도 켜 놓은 전등
보고 있지 않는데도 켜 놓은 텔레비전
긴팔 옷을 입고 냉방 기구를 사용하는 모습
사용하지 않는데도 켜 놓은 노트북

2 에너지를 아낄 수 있는 방법으로 알맞으면 🙂, 알맞지 않으면 🙁 붙임 딱지를 붙여 보세요. 붙임 딱지 2

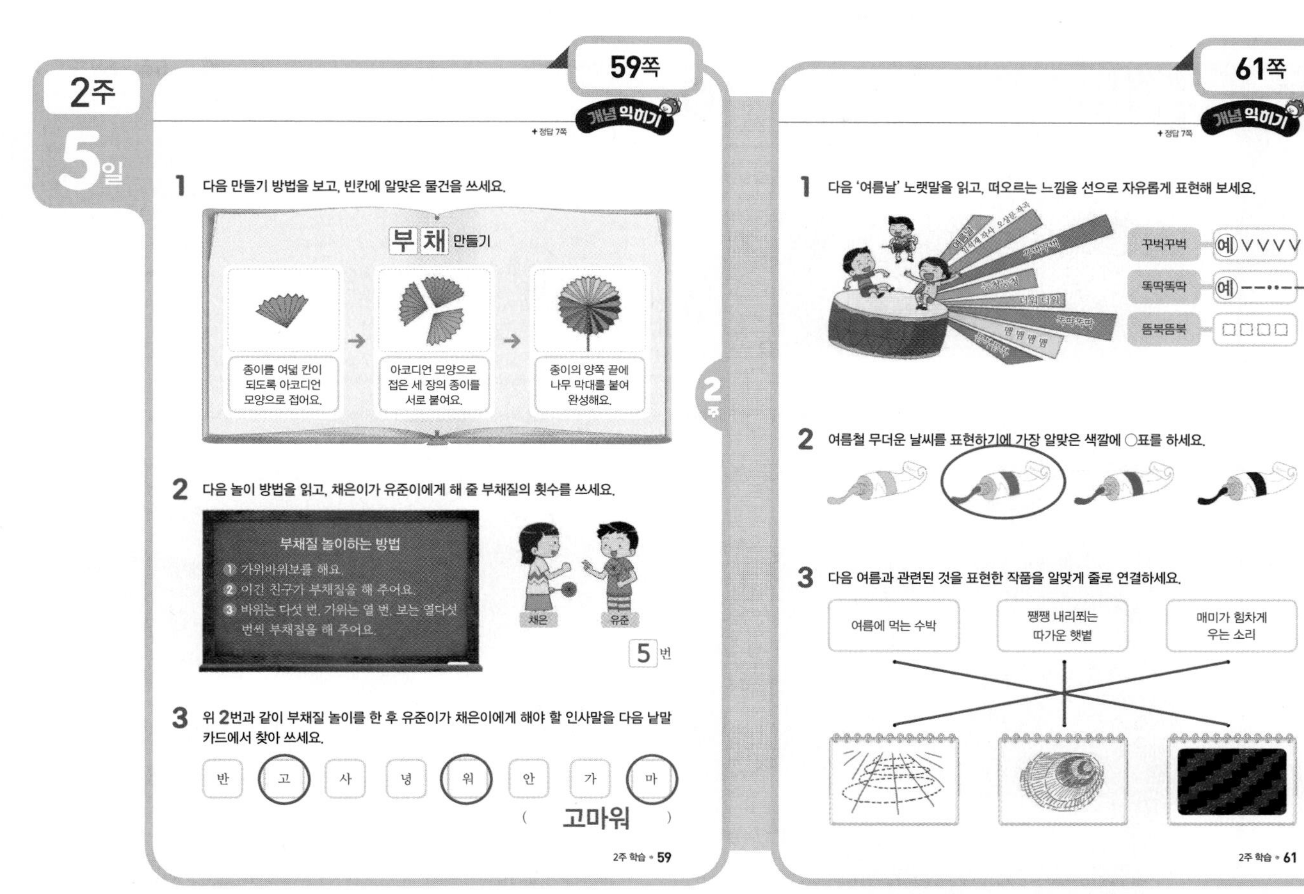
2주 5일

59쪽

개념 익히기

+정답 7쪽

1 다음 만들기 방법을 보고, 빈칸에 알맞은 물건을 쓰세요.

부 채 만들기

종이를 여덟 칸이 되도록 아코디언 모양으로 접어요. → 아코디언 모양으로 접은 세 장의 종이를 서로 붙여요. → 종이의 양쪽 끝에 나무 막대를 붙여 완성해요.

2 다음 놀이 방법을 읽고, 채은이가 유준이에게 해 줄 부채질의 횟수를 쓰세요.

부채질 놀이하는 방법

① 가위바위보를 해요.
② 이긴 친구가 부채질을 해 주어요.
③ 바위는 다섯 번, 가위는 열 번, 보는 열다섯 번씩 부채질을 해 주어요.

채은 유준

5 번

3 위 **2**번과 같이 부채질 놀이를 한 후 유준이가 채은이에게 해야 할 인사말을 다음 낱말 카드에서 찾아 쓰세요.

반 고 사 녕 워 안 가 마

(고마워)

2주 학습 • 59

61쪽

개념 익히기

+정답 7쪽

1 다음 '여름날' 노랫말을 읽고, 떠오르는 느낌을 선으로 자유롭게 표현해 보세요.

꾸벅꾸벅 — 예) VVVV

뚝딱뚝딱 — 예) ——•—

뚬북뚬북 — □□□□

2 여름철 무더운 날씨를 표현하기에 가장 알맞은 색깔에 ○표를 하세요.

3 다음 여름과 관련된 것을 표현한 작품을 알맞게 줄로 연결하세요.

여름에 먹는 수박 / 쨍쨍 내리쬐는 따가운 햇볕 / 매미가 힘차게 우는 소리

2주 학습 • 61

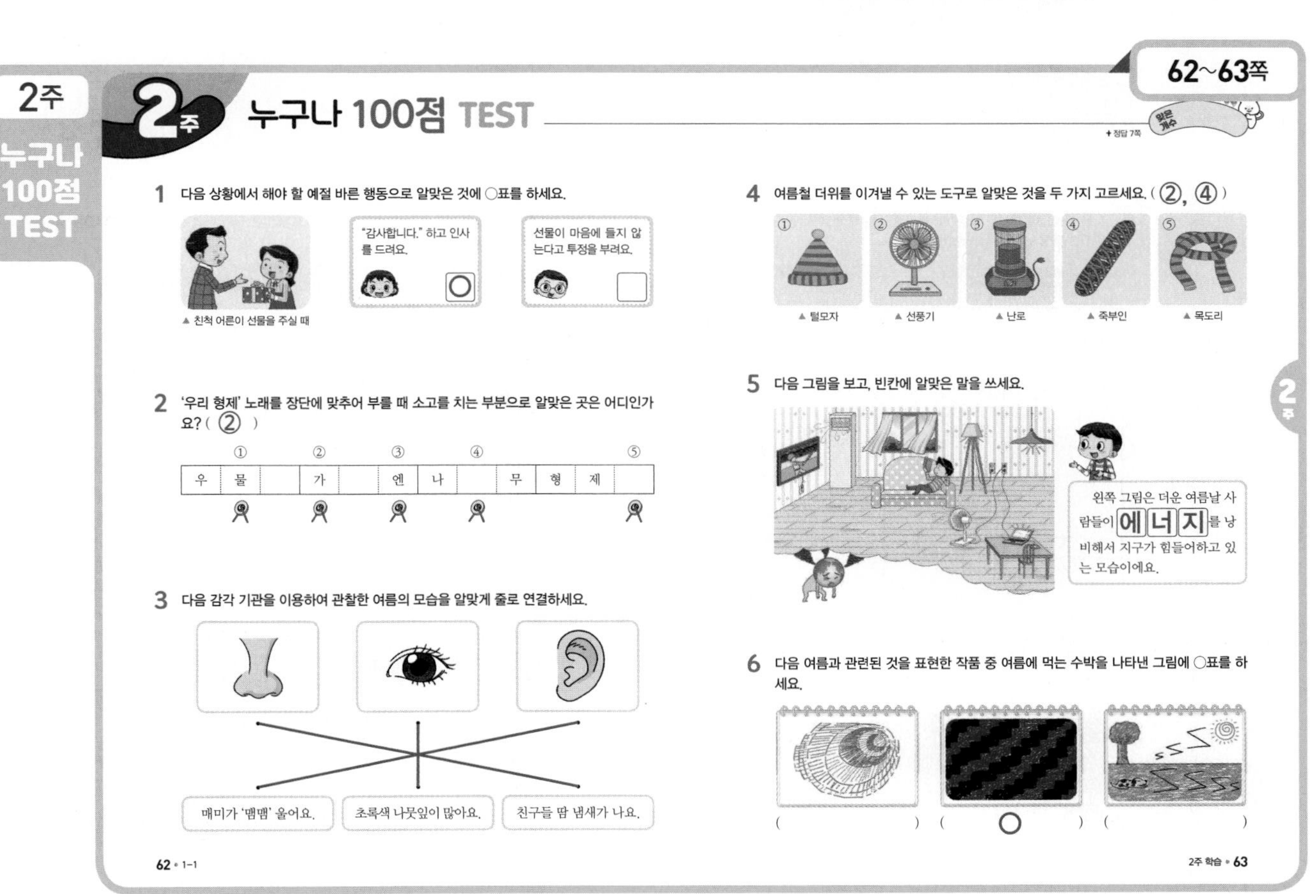
2주 누구나 100점 TEST

2주 누구나 100점 TEST

62~63쪽

+정답 7쪽

1 다음 상황에서 해야 할 예절 바른 행동으로 알맞은 것에 ○표를 하세요.

▲ 친척 어른이 선물을 주실 때

"감사합니다." 하고 인사를 드려요. (○)

선물이 마음에 들지 않는다고 투정을 부려요. ( )

2 '우리 형제' 노래를 장단에 맞추어 부를 때 소고를 치는 부분으로 알맞은 곳은 어디인가요? (②)

①		②		③		④			⑤
우	물		가		엔	나		무	형	제

3 다음 감각 기관을 이용하여 관찰한 여름의 모습을 알맞게 줄로 연결하세요.

매미가 '맴맴' 울어요. / 초록색 나뭇잎이 많아요. / 친구들 땀 냄새가 나요.

4 여름철 더위를 이겨낼 수 있는 도구로 알맞은 것을 두 가지 고르세요. (②, ④)

① 털모자 ② 선풍기 ③ 난로 ④ 죽부인 ⑤ 목도리

5 다음 그림을 보고, 빈칸에 알맞은 말을 쓰세요.

왼쪽 그림은 더운 여름날 사람들이 에 너 지 를 낭비해서 지구가 힘들어하고 있는 모습이에요.

6 다음 여름과 관련된 것을 표현한 작품 중 여름에 먹는 수박을 나타낸 그림에 ○표를 하세요.

( ) (○) ( )

62 • 1-1

2주 학습 • 63

정답

2주 창의 융합 코딩

64~69쪽

냉방병에 대해 알아봐요!

원인과 증상	에어컨의 온도를 지나치게 낮추어 실내와 실외의 온도 차이가 커지면서 감기와 비슷한 증상이 나타나는 병이에요.
예방법	실내 온도가 26℃ 이상으로 유지될 수 있도록 에어컨의 온도를 너무 낮추지 않고, 2~4시간마다 실내를 환기시켜야 해요.

퀴즈 팡! 여름철 에어컨의 지나친 사용으로 실내와 실외의 온도 차이가 커지면서 감기와 비슷한 증상이 나타나는 병은?

답 냉방병

창의 1 가족이나 친척 사이에 지켜야 할 예절로 알맞은 것에는 빨간색을, 알맞지 않은 것에는 초록색을 칠해 사과나무를 완성해 보세요.

융합 2 다음은 무더운 여름날을 나타낸 그림이에요. 그림에 숨겨진 자음자와 모음자를 모두 모아 여름을 시원하게 보낼 수 있는 장소 두 곳을 쓰세요.

바다, 수영장

코딩 3 다음 동물들이 제시된 명령어에 따라 움직일 때 얻을 수 있는 여름철 생활 도구의 붙임 딱지를 붙여 보세요. 붙임 딱지 2

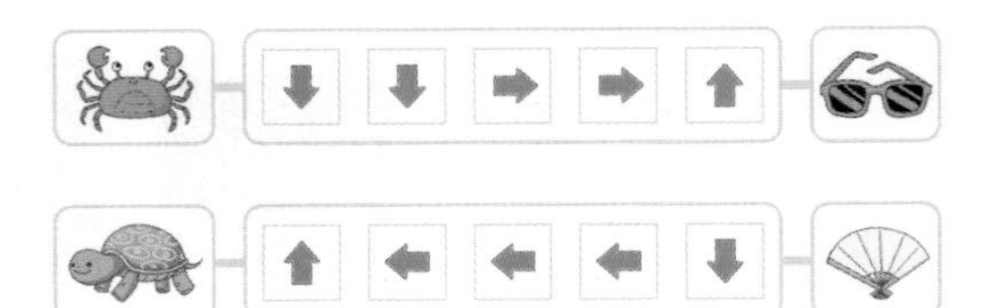

창의 4 여름철 에너지를 아낄 수 있는 방법으로 알맞은 답을 따라 산 입구에서부터 정상까지 가는 길을 선으로 이어 보세요.

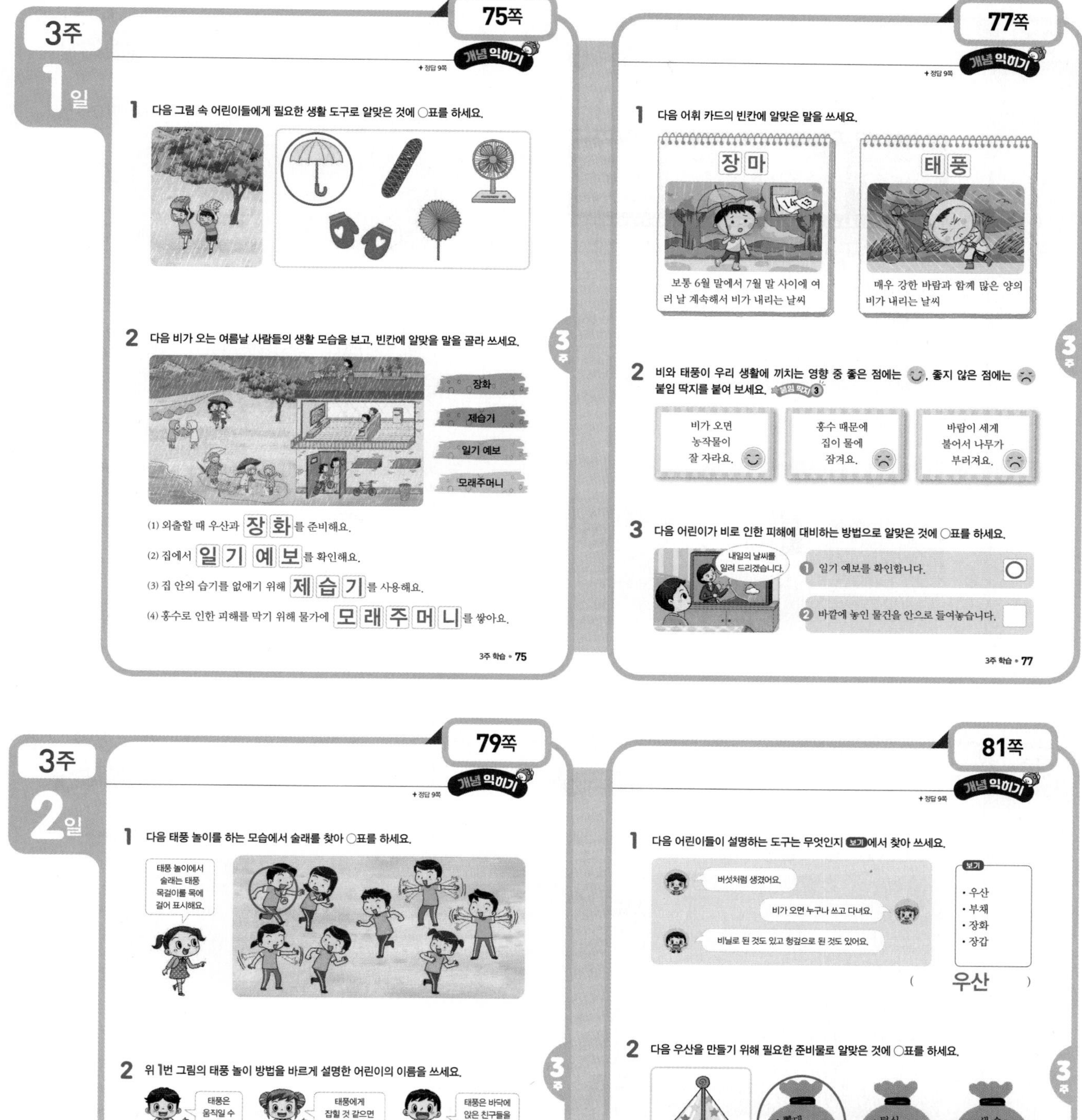

3주 1일

75쪽

개념 익히기

✚ 정답 9쪽

1 다음 그림 속 어린이들에게 필요한 생활 도구로 알맞은 것에 ○표를 하세요.

(우산에 ○표)

2 다음 비가 오는 여름날 사람들의 생활 모습을 보고, 빈칸에 알맞을 말을 골라 쓰세요.

장화 / 제습기 / 일기 예보 / 모래주머니

(1) 외출할 때 우산과 장 화 를 준비해요.

(2) 집에서 일 기 예 보 를 확인해요.

(3) 집 안의 습기를 없애기 위해 제 습 기 를 사용해요.

(4) 홍수로 인한 피해를 막기 위해 물가에 모 래 주 머 니 를 쌓아요.

77쪽

개념 익히기

✚ 정답 9쪽

1 다음 어휘 카드의 빈칸에 알맞은 말을 쓰세요.

장 마 — 보통 6월 말에서 7월 말 사이에 여러 날 계속해서 비가 내리는 날씨

태 풍 — 매우 강한 바람과 함께 많은 양의 비가 내리는 날씨

2 비와 태풍이 우리 생활에 끼치는 영향 중 좋은 점에는 🙂, 좋지 않은 점에는 ☹ 붙임 딱지를 붙여 보세요. 붙임 딱지 3

- 비가 오면 농작물이 잘 자라요. 🙂
- 홍수 때문에 집이 물에 잠겨요. ☹
- 바람이 세게 불어서 나무가 부러져요. ☹

3 다음 어린이가 비로 인한 피해에 대비하는 방법으로 알맞은 것에 ○표를 하세요.

내일의 날씨를 알려 드리겠습니다.

❶ 일기 예보를 확인합니다. (○)

❷ 바깥에 놓인 물건을 안으로 들여놓습니다. (   )

3주 2일

79쪽

개념 익히기

✚ 정답 9쪽

1 다음 태풍 놀이를 하는 모습에서 술래를 찾아 ○표를 하세요.

태풍 놀이에서 술래는 태풍 목걸이를 목에 걸어 표시해요.

2 위 1번 그림의 태풍 놀이 방법을 바르게 설명한 어린이의 이름을 쓰세요.

태풍은 움직일 수 있어요. — 연석
태풍에게 잡힐 것 같으면 그 자리에 앉아요. — 소연
태풍은 바닥에 앉은 친구들을 잡을 수 없어요. — 찬원

(연석)

3 다음 세 가지 힌트 카드를 보고 '나'는 무엇인지 쓰세요.

- 첫 번째 힌트: 태풍에게 잡히면 내가 돼요.
- 두 번째 힌트: 나는 제자리에서 움직일 수 없어요.
- 세 번째 힌트: 나는 팔만 흔들어 친구들을 잡아요.

(작은 태풍)

81쪽

개념 익히기

✚ 정답 9쪽

1 다음 어린이들이 설명하는 도구는 무엇인지 보기에서 찾아 쓰세요.

버섯처럼 생겼어요.
비가 오면 누구나 쓰고 다녀요.
비닐로 된 것도 있고 헝겊으로 된 것도 있어요.

보기: • 우산 • 부채 • 장화 • 장갑

(우산)

2 다음 우산을 만들기 위해 필요한 준비물로 알맞은 것에 ○표를 하세요.

- • 빨대 • 털 철사 • 투명 필름 (○)
- • 털실 • 색종이 • 나무 막대
- • 색 솜 • 종이컵 • 색종이

3 다음 어린이가 만든 우산에 ○표를 하세요.

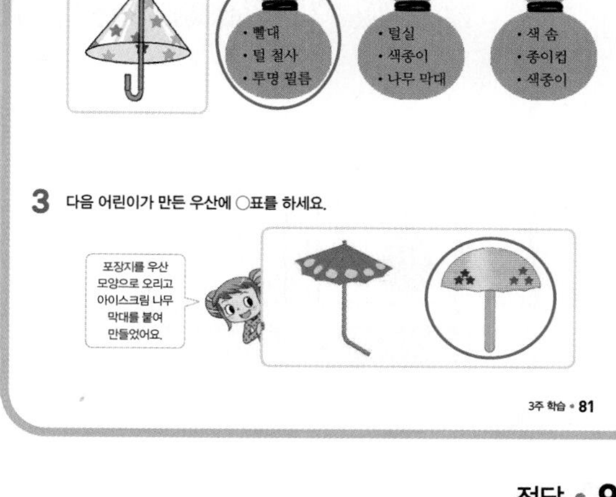

포장지를 우산 모양으로 오리고 아이스크림 나무 막대를 붙여 만들었어요.

정답

3주 3일

83쪽

개념 익히기

+ 정답 10쪽

1 다음 영상 속 모습을 보고, 빈칸에 알맞은 말을 쓰세요.

사람들이 물을 함부로 사용하고 있어요.

2 다음과 같이 행동하는 친구에게 해줄 말로 바른 것에 ○표를 하세요.

❶ 손을 씻을 때는 물을 잠그고 비누칠을 해야 해요. ○

❷ 외출하고 집에 돌아오면 손을 깨끗이 씻어야 해요.

3 물을 아낄 수 있는 방법으로 알맞으면 😊, 알맞지 않으면 ☹ 붙임 딱지를 붙여 보세요. 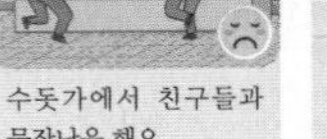

수돗가에서 친구들과 물장난을 해요.

이를 닦을 때 양치 컵을 사용해요.

물을 사용하고 난 다음 수도꼭지를 꼭 잠가요.

85쪽

개념 익히기

+ 정답 10쪽

1 다음은 물 모으기 놀이를 시작하기 전 모습이에요. 출발선에 서 있는 어린이에게 필요한 물건에 ○표를 하세요.

2 위 1번 그림의 물 모으기 놀이를 하는 방법으로 알맞은 것에 ○표를 하세요.

신호 소리에 맞추어 달려가 수조 안의 물을 컵에 담아요. ○

물이 든 컵을 머리 위에 올리고 출발선으로 되돌아와요.

자신의 컵에 있는 물을 다음 친구의 컵에 따라요.

3 다음은 물 모으기 놀이가 끝난 후 수조의 모습이에요. 놀이에서 승리한 모둠의 이름을 쓰세요.

(번개)

3주 4일

87쪽

개념 익히기

+ 정답 10쪽

1 다음 징검다리 위에 여러 가지 물건이 놓여 있어요. 강 건너편에 있는 그림을 그리는 데 필요한 준비물에 ○표를 하며 강을 건너 보세요.

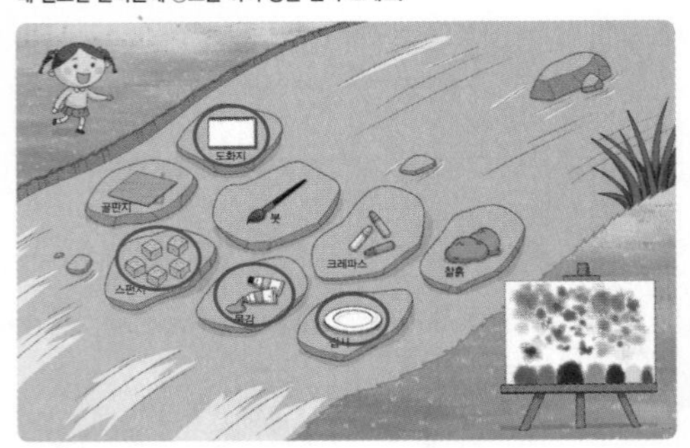

2 다음 게시판에 붙은 작품의 제목으로 알맞은 말을 보기에서 찾아 빈칸에 쓰세요.

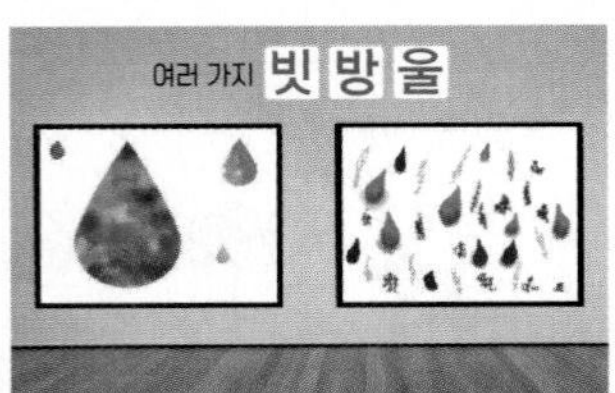

보기

빗방울

돌멩이

잎사귀

89쪽

개념 익히기

+ 정답 10쪽

1 다음 여름에 꼭 필요해 놀이 모습을 보고, ( ) 안의 알맞은 말에 ○표를 하세요.

(1) (공격편, 술래편)은 다른 마을 친구들이 지나가지 못하게 지켜요. — 술래편에 ○

(2) (공격편, 술래편)은 잡히지 않고 넘어가 우리 마을에 필요한 것을 찾아요. — 공격편에 ○

2 다음 두 마을 어린이에게 연결된 선을 따라 도착한 곳에 각 마을에 필요한 물건의 붙임 딱지를 붙여 보세요.

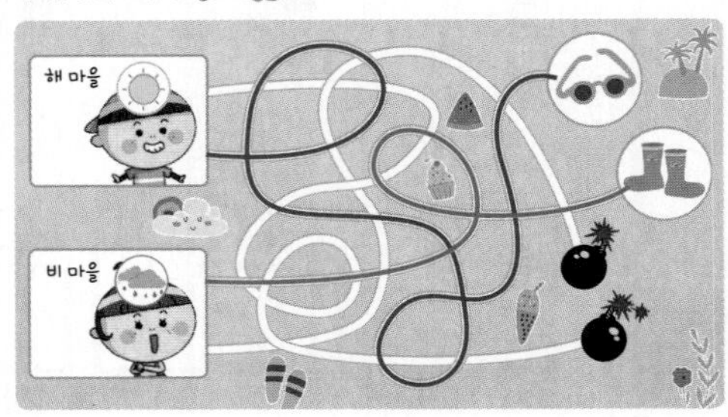

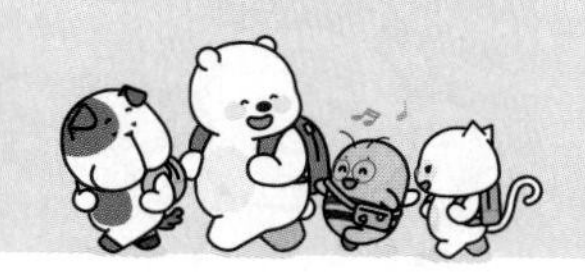

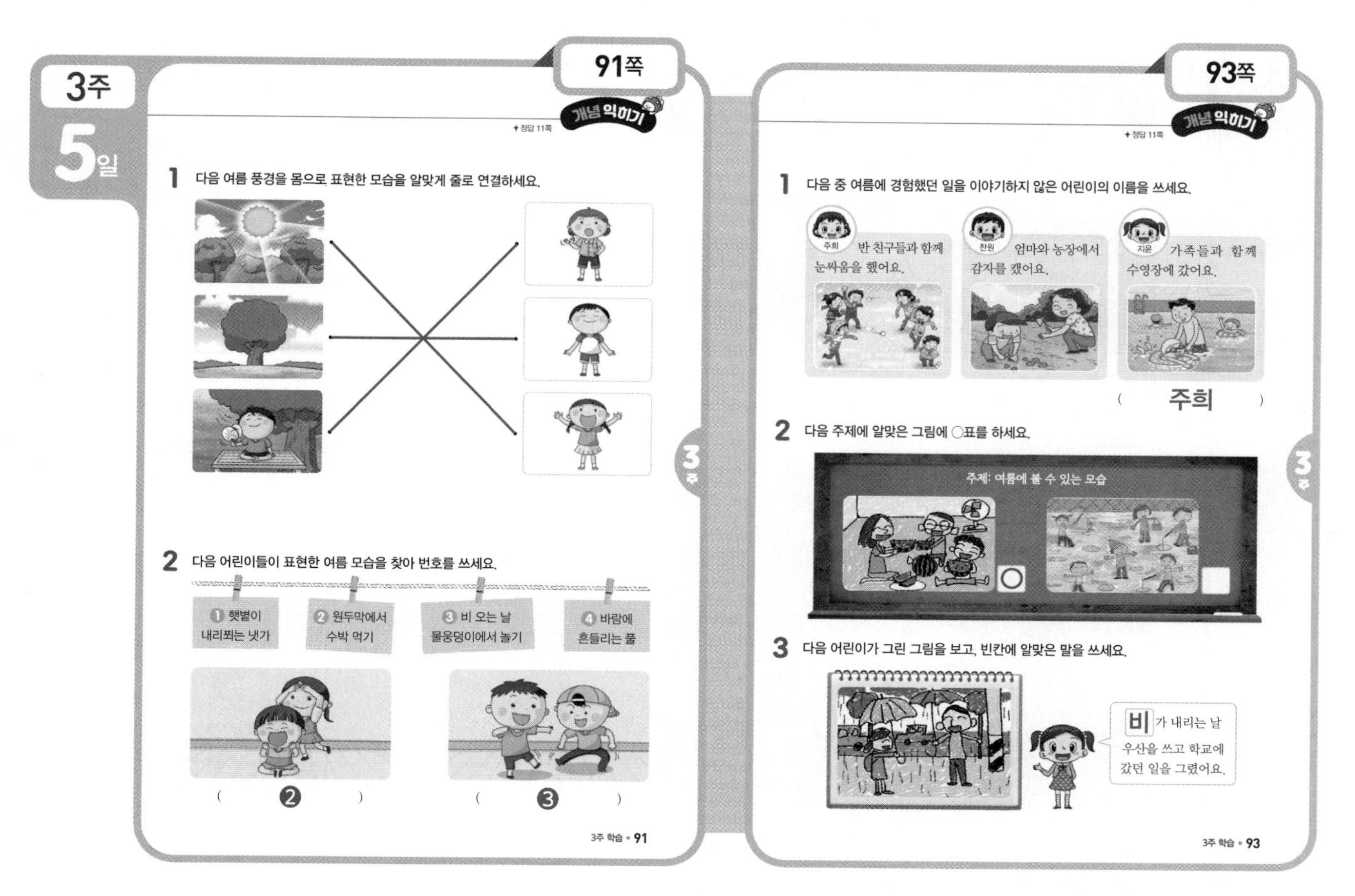

3주 5일

91쪽

개념 익히기

+ 정답 11쪽

1 다음 여름 풍경을 몸으로 표현한 모습을 알맞게 줄로 연결하세요.

2 다음 어린이들이 표현한 여름 모습을 찾아 번호를 쓰세요.

① 햇볕이 내리쬐는 냇가 ② 원두막에서 수박 먹기 ③ 비 오는 날 물웅덩이에서 놀기 ④ 바람에 흔들리는 풀

(②) (③)

3주 학습 • 91

93쪽

개념 익히기

+ 정답 11쪽

1 다음 중 여름에 경험했던 일을 이야기하지 않은 어린이의 이름을 쓰세요.

주희: 반 친구들과 함께 눈싸움을 했어요.

찬원: 엄마와 농장에서 감자를 캤어요.

지윤: 가족들과 함께 수영장에 갔어요.

(주희)

2 다음 주제에 알맞은 그림에 ○표를 하세요.

주제: 여름에 볼 수 있는 모습

3 다음 어린이가 그린 그림을 보고, 빈칸에 알맞은 말을 쓰세요.

비 가 내리는 날 우산을 쓰고 학교에 갔던 일을 그렸어요.

3주 학습 • 93

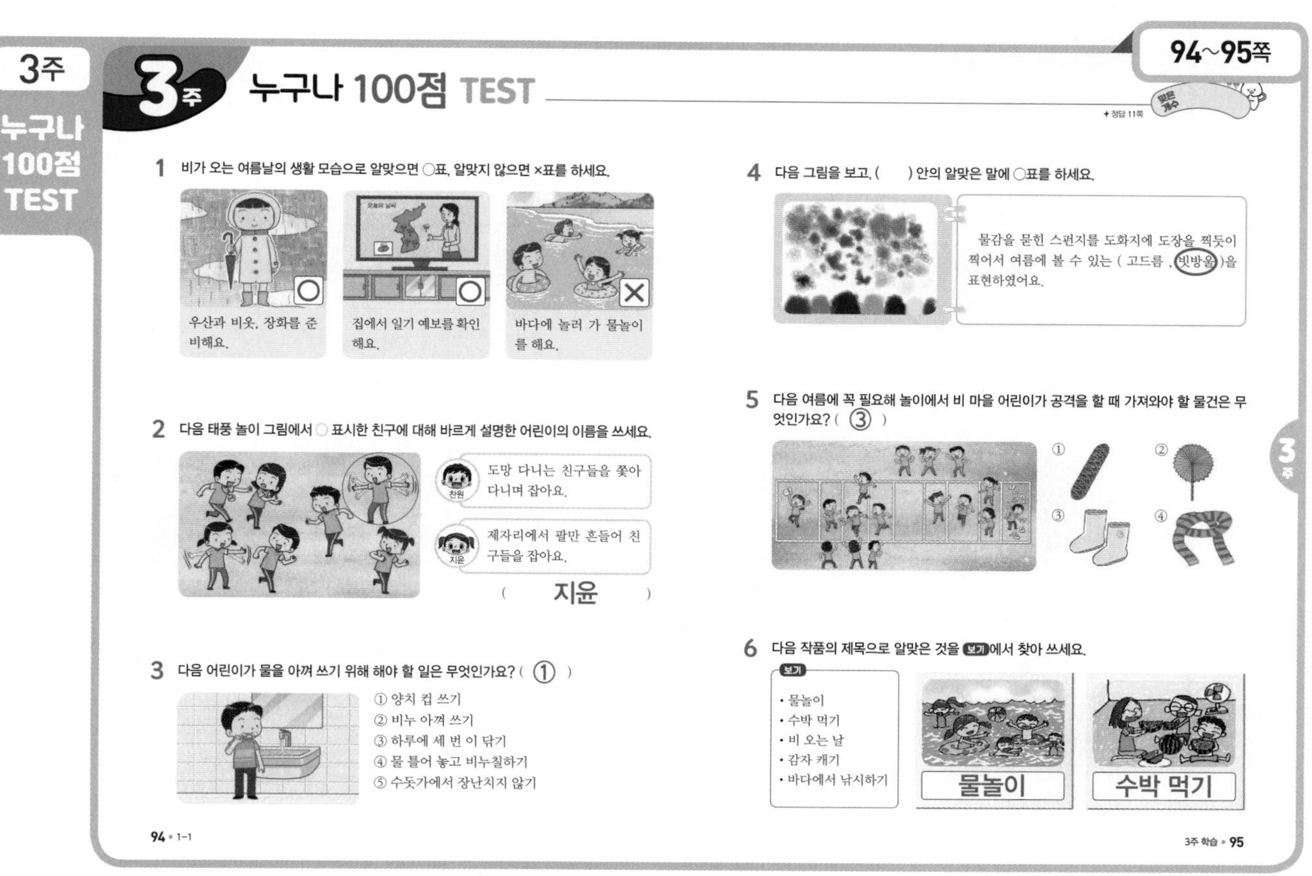

3주 누구나 100점 TEST

94~95쪽

3주 누구나 100점 TEST

+ 정답 11쪽

1 비가 오는 여름날의 생활 모습으로 알맞으면 ○표, 알맞지 않으면 ×표를 하세요.

우산과 비옷, 장화를 준비해요. (○)

집에서 일기 예보를 확인해요. (○)

바다에 놀러 가 물놀이를 해요. (×)

2 다음 태풍 놀이 그림에서 ○ 표시한 친구에 대해 바르게 설명한 어린이의 이름을 쓰세요.

찬원: 도망 다니는 친구들을 쫓아다니며 잡아요.

지윤: 제자리에서 팔만 흔들어 친구들을 잡아요.

(지윤)

3 다음 어린이가 물을 아껴 쓰기 위해 해야 할 일은 무엇인가요? (①)

① 양치 컵 쓰기
② 비누 아껴 쓰기
③ 하루에 세 번 이 닦기
④ 물 틀어 놓고 비누칠하기
⑤ 수돗가에서 장난치지 않기

4 다음 그림을 보고, ( ) 안의 알맞은 말에 ○표를 하세요.

물감을 묻힌 스펀지를 도화지에 도장을 찍듯이 찍어서 여름에 볼 수 있는 (고드름 , 빗방울)을 표현하였어요.

5 다음 여름에 꼭 필요해 놀이에서 비 마을 어린이가 공격을 할 때 가져와야 할 물건은 무엇인가요? (③)

6 다음 작품의 제목으로 알맞은 것을 보기에서 찾아 쓰세요.

보기
• 물놀이
• 수박 먹기
• 비 오는 날
• 감자 캐기
• 바다에서 낚시하기

물놀이 / 수박 먹기

94 • 1-1

3주 학습 • 95

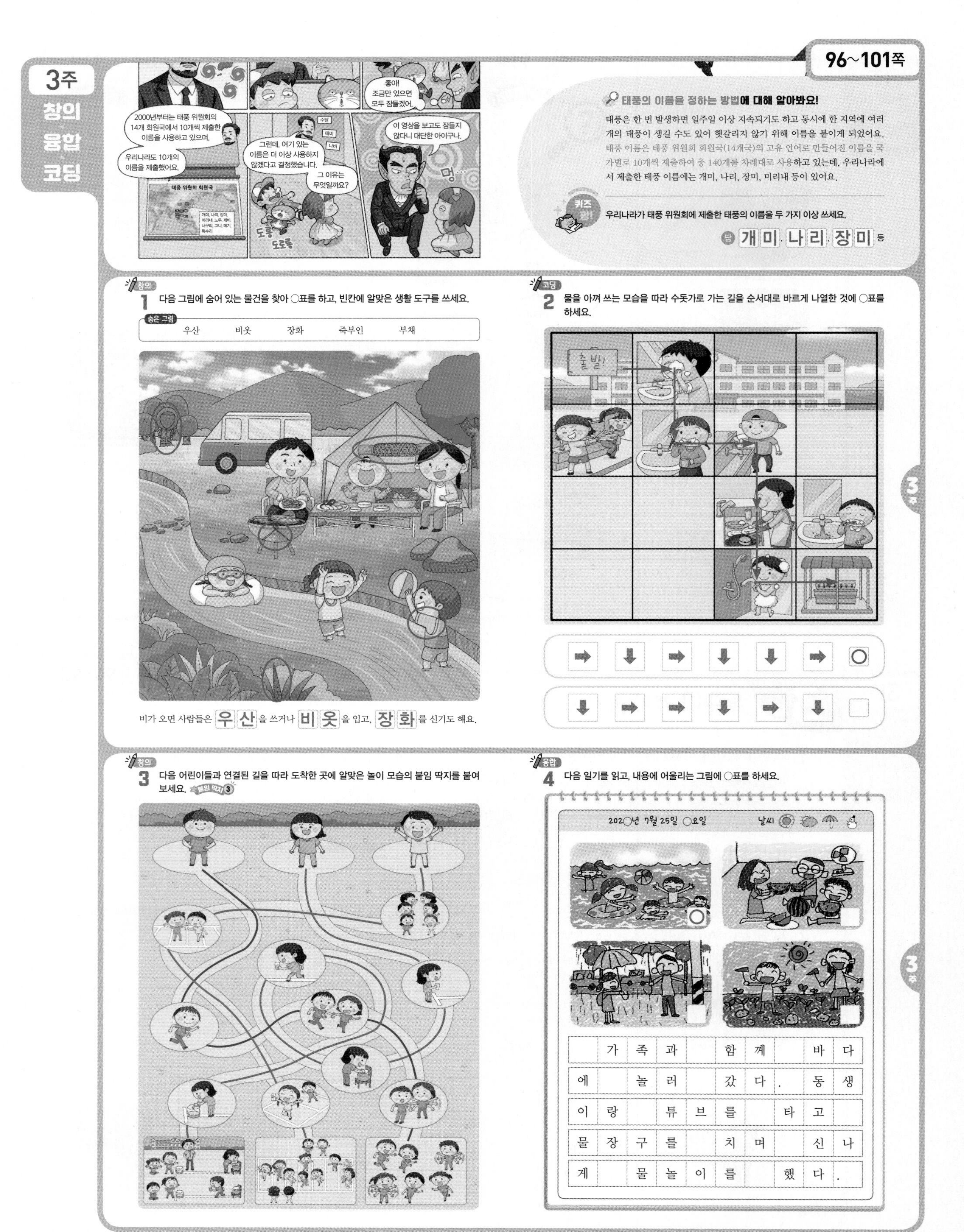

3주 창의 융합 코딩

96~101쪽

태풍의 이름을 정하는 방법에 대해 알아봐요!

태풍은 한 번 발생하면 일주일 이상 지속되기도 하고 동시에 한 지역에 여러 개의 태풍이 생길 수도 있어 헷갈리지 않기 위해 이름을 붙이게 되었어요. 태풍 이름은 태풍 위원회 회원국(14개국)의 고유 언어로 만들어진 이름을 국가별로 10개씩 제출하여 총 140개를 차례대로 사용하고 있는데, 우리나라에서 제출한 태풍 이름에는 개미, 나리, 장미, 미리내 등이 있어요.

퀴즈 팡! 우리나라가 태풍 위원회에 제출한 태풍의 이름을 두 가지 이상 쓰세요.

답 개미, 나리, 장미 등

창의 1 다음 그림에 숨어 있는 물건을 찾아 ○표를 하고, 빈칸에 알맞은 생활 도구를 쓰세요.

숨은 그림: 우산 비옷 장화 죽부인 부채

비가 오면 사람들은 우산을 쓰거나 비옷을 입고, 장화를 신기도 해요.

코딩 2 물을 아껴 쓰는 모습을 따라 수돗가로 가는 길을 순서대로 바르게 나열한 것에 ○표를 하세요.

➡ ⬇ ➡ ⬇ ⬇ ➡ (○)

⬇ ➡ ➡ ⬇ ➡ ⬇ ( )

창의 3 다음 어린이들과 연결된 길을 따라 도착한 곳에 알맞은 놀이 모습의 붙임 딱지를 붙여 보세요. 붙임 딱지 3

융합 4 다음 일기를 읽고, 내용에 어울리는 그림에 ○표를 하세요.

202○년 7월 25일 ○요일 날씨

	가	족	과		함	께		바	다
에		놀	러		갔	다	.	동	생
이	랑		튜	브	를		타	고	
물	장	구	를		치	며		신	나
게		물	놀	이	를		했	다	.

104~105쪽

마무리 학습

신경향 신유형 서술형

마무리 학습 신경향·신유형·서술형 1

+ 정답 13쪽

1 세윤이가 친척들과 놀이동산에 가서 대관람차를 탔어요. 어머니와 관계된 친척이 타고 있는 칸에 ○표를 하세요.

2 도현이가 가족을 위해 할 수 있는 일로 알맞은 것을 모두 따라 가면서 꽃을 모아 엄마께 드리려고 해요. 엄마가 받게 될 꽃은 몇 송이인지 빈칸에 알맞은 숫자를 쓰세요.

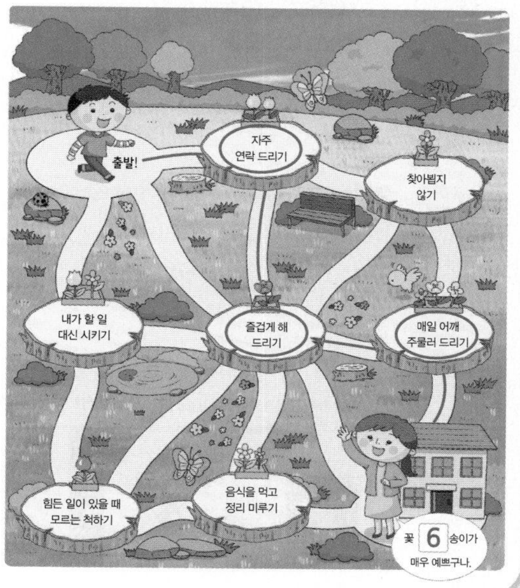

106~107쪽

마무리 학습

신경향 신유형 서술형

마무리 학습 신경향·신유형·서술형 2

3 여름철 사람들의 생활 모습이 알맞게 쓰여 있는 재료가 모두 끼워진 꼬치를 찾아 ○표를 하세요.

4 가예네 집 가족들이 물을 사용하는 모습을 보고, 각자에게 물을 아껴 쓸 수 있도록 고쳐야 할 점을 알려 주세요.

설거지를 할 때 물을 틀어 놓고 사용하지 않아야 해요.
물을 가지고 장난치지 말아야 해요.
양치질을 할 때
양치컵을 사용해야 해요.

정답

108~109쪽

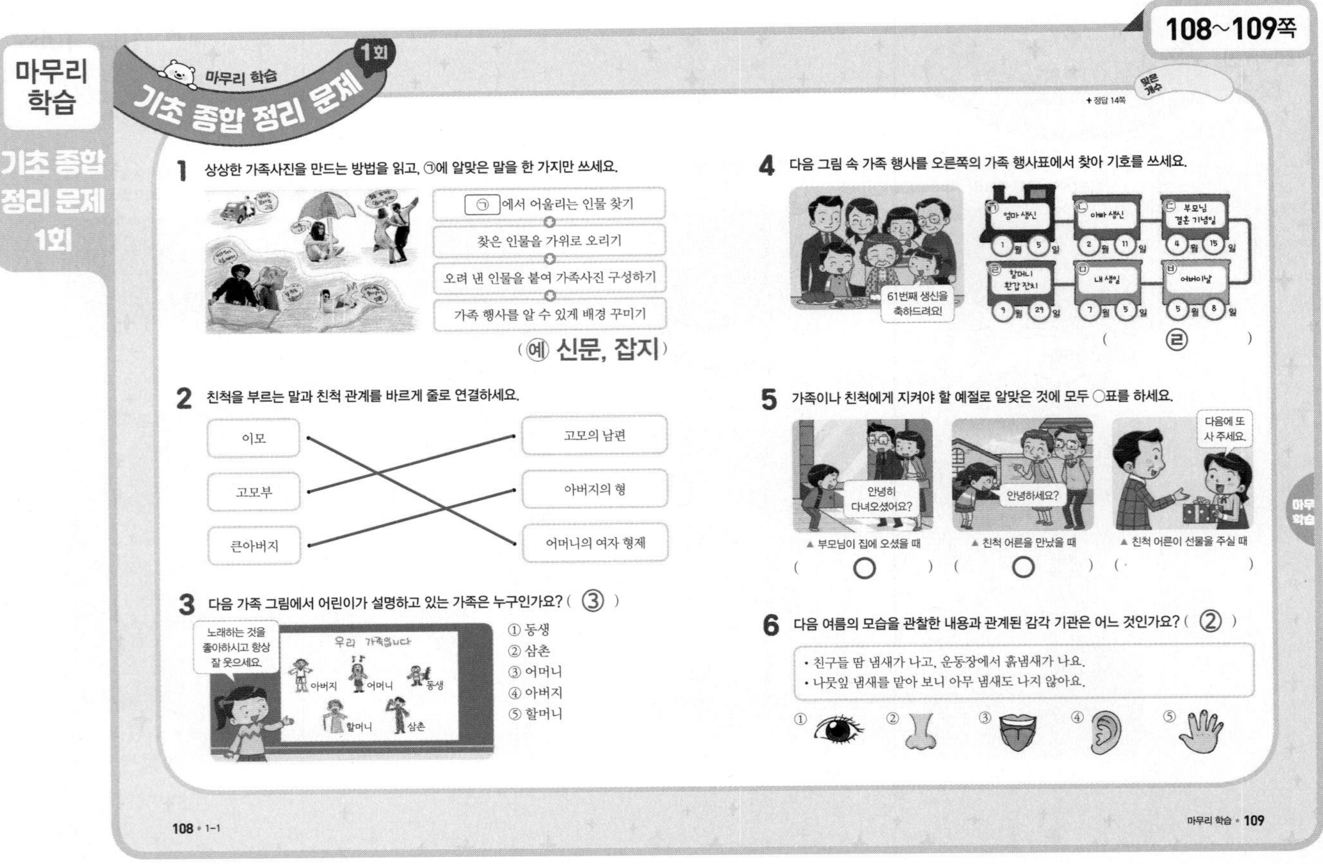

마무리 학습

기초 종합 정리 문제 1회

마무리 학습 기초 종합 정리 문제 1회

정답 14쪽

1 상상한 가족사진을 만드는 방법을 읽고, ㉠에 알맞은 말을 한 가지만 쓰세요.

㉠에서 어울리는 인물 찾기 → 찾은 인물을 가위로 오리기 → 오려 낸 인물을 붙여 가족사진 구성하기 → 가족 행사를 알 수 있게 배경 꾸미기

(예 신문, 잡지)

2 친척을 부르는 말과 친척 관계를 바르게 줄로 연결하세요.

이모 — 어머니의 여자 형제

고모부 — 고모의 남편

큰아버지 — 아버지의 형

3 다음 가족 그림에서 어린이가 설명하고 있는 가족은 누구인가요? (③)

① 동생
② 삼촌
③ 어머니
④ 아버지
⑤ 할머니

4 다음 그림 속 가족 행사를 오른쪽의 가족 행사표에서 찾아 기호를 쓰세요.

(㉣)

5 가족이나 친척에게 지켜야 할 예절로 알맞은 것에 모두 ○표를 하세요.

▲ 부모님이 집에 오셨을 때 (○)
▲ 친척 어른을 만났을 때 (○)
▲ 친척 어른이 선물을 주실 때 ( )

6 다음 여름의 모습을 관찰한 내용과 관계된 감각 기관은 어느 것인가요? (②)

- 친구들 땀 냄새가 나고, 운동장에서 흙냄새가 나요.
- 나뭇잎 냄새를 맡아 보니 아무 냄새도 나지 않아요.

① ② ③ ④ ⑤

110~111쪽

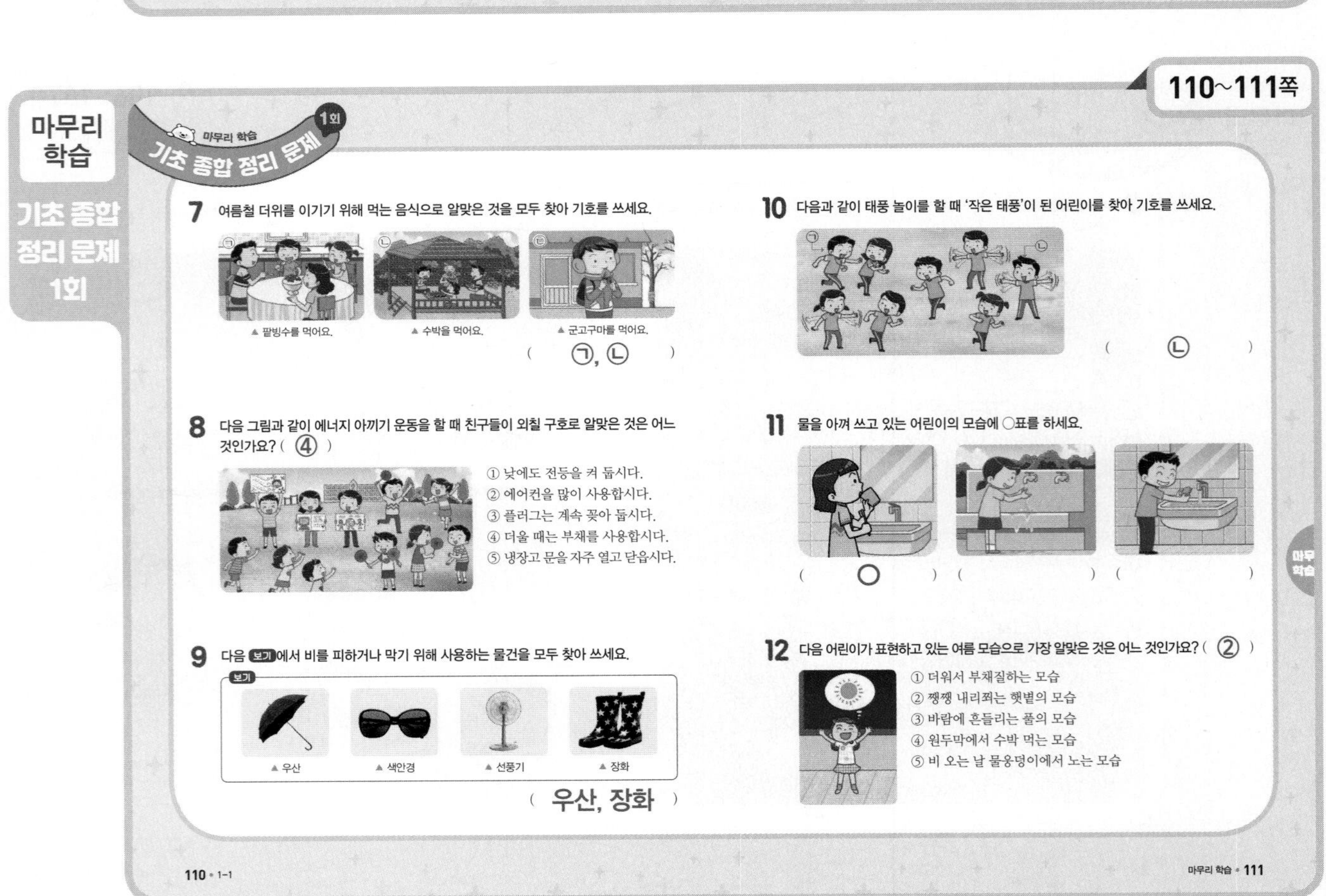

마무리 학습

기초 종합 정리 문제 1회

마무리 학습 기초 종합 정리 문제

7 여름철 더위를 이기기 위해 먹는 음식으로 알맞은 것을 모두 찾아 기호를 쓰세요.

㉠ ▲ 팥빙수를 먹어요.
㉡ ▲ 수박을 먹어요.
㉢ ▲ 군고구마를 먹어요.

(㉠, ㉡)

8 다음 그림과 같이 에너지 아끼기 운동을 할 때 친구들이 외칠 구호로 알맞은 것은 어느 것인가요? (④)

① 낮에도 전등을 켜 둡시다.
② 에어컨을 많이 사용합시다.
③ 플러그는 계속 꽂아 둡시다.
④ 더울 때는 부채를 사용합시다.
⑤ 냉장고 문을 자주 열고 닫읍시다.

9 다음 보기에서 비를 피하거나 막기 위해 사용하는 물건을 모두 찾아 쓰세요.

보기
▲ 우산 ▲ 색안경 ▲ 선풍기 ▲ 장화

(우산, 장화)

10 다음과 같이 태풍 놀이를 할 때 '작은 태풍'이 된 어린이를 찾아 기호를 쓰세요.

(㉡)

11 물을 아껴 쓰고 있는 어린이의 모습에 ○표를 하세요.

(○) ( ) ( )

12 다음 어린이가 표현하고 있는 여름 모습으로 가장 알맞은 것은 어느 것인가요? (②)

① 더워서 부채질하는 모습
② 쨍쨍 내리쬐는 햇볕의 모습
③ 바람에 흔들리는 풀의 모습
④ 원두막에서 수박 먹는 모습
⑤ 비 오는 날 물웅덩이에서 노는 모습

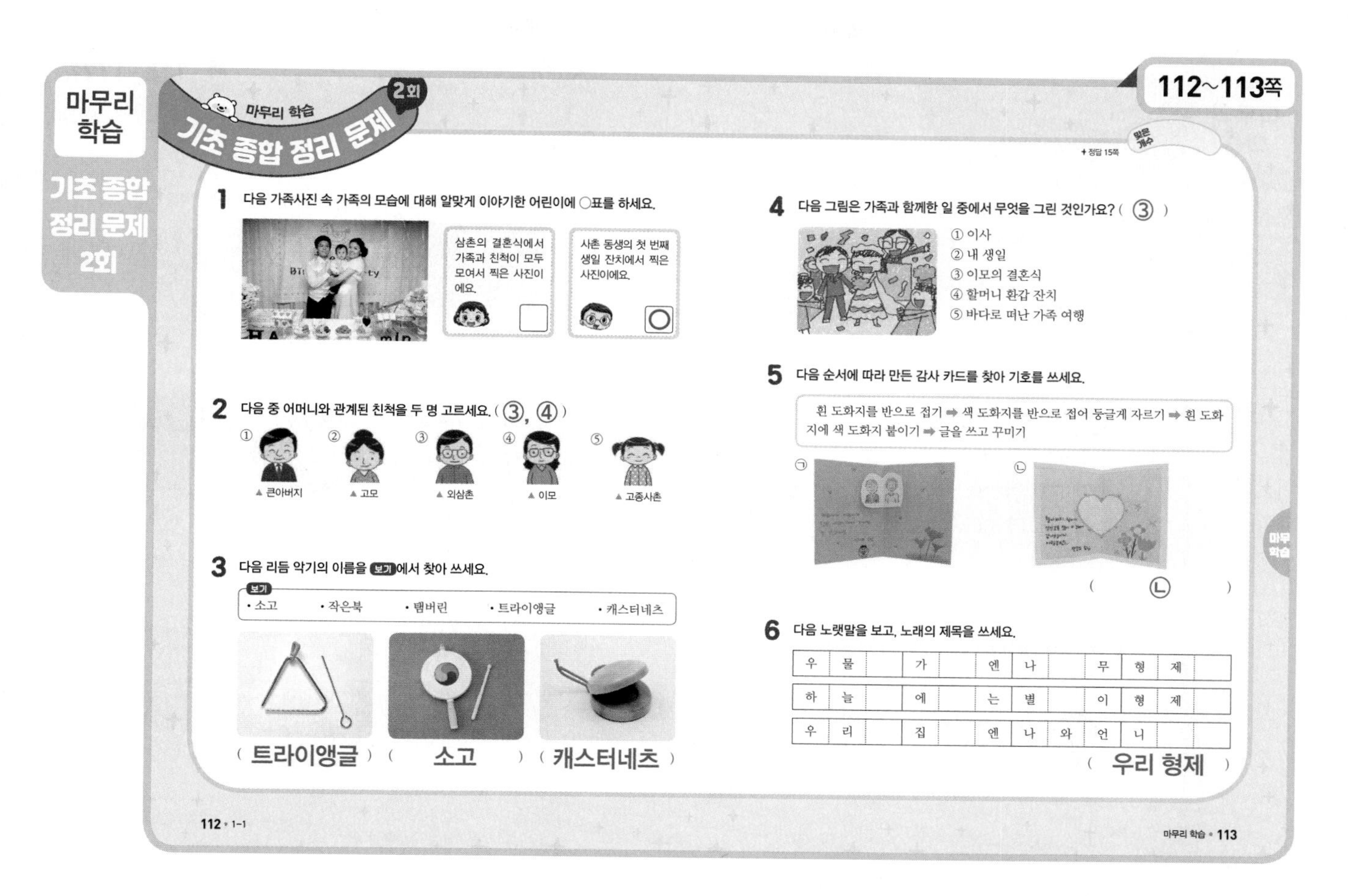

마무리 학습

기초 종합 정리 문제 2회

112~113쪽

1 다음 가족사진 속 가족의 모습에 대해 알맞게 이야기한 어린이에 ○표를 하세요.

삼촌의 결혼식에서 가족과 친척이 모두 모여서 찍은 사진이에요. ( )

사촌 동생의 첫 번째 생일 잔치에서 찍은 사진이에요. (○)

2 다음 중 어머니와 관계된 친척을 두 명 고르세요. (③, ④)

① 큰아버지 ② 고모 ③ 외삼촌 ④ 이모 ⑤ 고종사촌

3 다음 리듬 악기의 이름을 보기에서 찾아 쓰세요.

보기: • 소고 • 작은북 • 탬버린 • 트라이앵글 • 캐스터네츠

(트라이앵글) (소고) (캐스터네츠)

4 다음 그림은 가족과 함께한 일 중에서 무엇을 그린 것인가요? (③)

① 이사
② 내 생일
③ 이모의 결혼식
④ 할머니 환갑 잔치
⑤ 바다로 떠난 가족 여행

5 다음 순서에 따라 만든 감사 카드를 찾아 기호를 쓰세요.

흰 도화지를 반으로 접기 ➡ 색 도화지를 반으로 접어 둥글게 자르기 ➡ 흰 도화지에 색 도화지 붙이기 ➡ 글을 쓰고 꾸미기

㉠ ㉡

(㉡)

6 다음 노랫말을 보고, 노래의 제목을 쓰세요.

우	물		가		엔	나		무	형	제	
하	늘		에		는	별		이	형	제	
우	리		집		엔	나	와	언	니		

(우리 형제)

112 • 1-1

마무리 학습 • 113

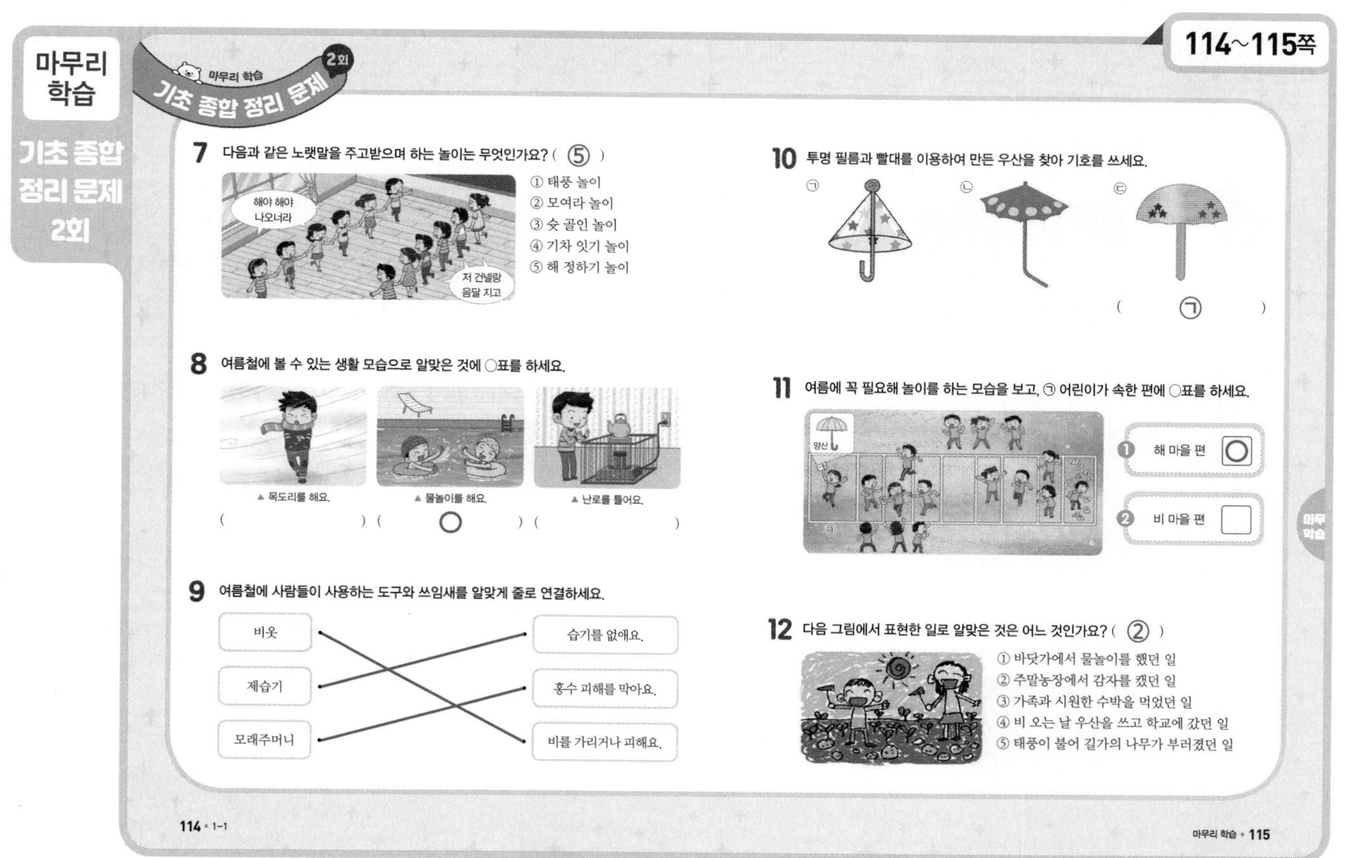

마무리 학습

기초 종합 정리 문제 2회

114~115쪽

7 다음과 같은 노랫말을 주고받으며 하는 놀이는 무엇인가요? (⑤)

① 태풍 놀이
② 모여라 놀이
③ 숫 골인 놀이
④ 기차 잇기 놀이
⑤ 해 정하기 놀이

8 여름철에 볼 수 있는 생활 모습으로 알맞은 것에 ○표를 하세요.

▲ 목도리를 해요. ( ) ▲ 물놀이를 해요. (○) ▲ 난로를 틀어요. ( )

9 여름철에 사람들이 사용하는 도구와 쓰임새를 알맞게 줄로 연결하세요.

비옷 • • 습기를 없애요.
제습기 • • 홍수 피해를 막아요.
모래주머니 • • 비를 가리거나 피해요.

10 투명 필름과 빨대를 이용하여 만든 우산을 찾아 기호를 쓰세요.

㉠ ㉡ ㉢

(㉠)

11 여름에 꼭 필요해 놀이를 하는 모습을 보고, ㉠ 어린이가 속한 편에 ○표를 하세요.

❶ 해 마을 편 (○)
❷ 비 마을 편 ( )

12 다음 그림에서 표현한 일로 알맞은 것은 어느 것인가요? (②)

① 바닷가에서 물놀이를 했던 일
② 주말농장에서 감자를 캤던 일
③ 가족과 시원한 수박을 먹었던 일
④ 비 오는 날 우산을 쓰고 학교에 갔던 일
⑤ 태풍이 불어 길가의 나무가 부러졌던 일

114 • 1-1

마무리 학습 • 115

정답

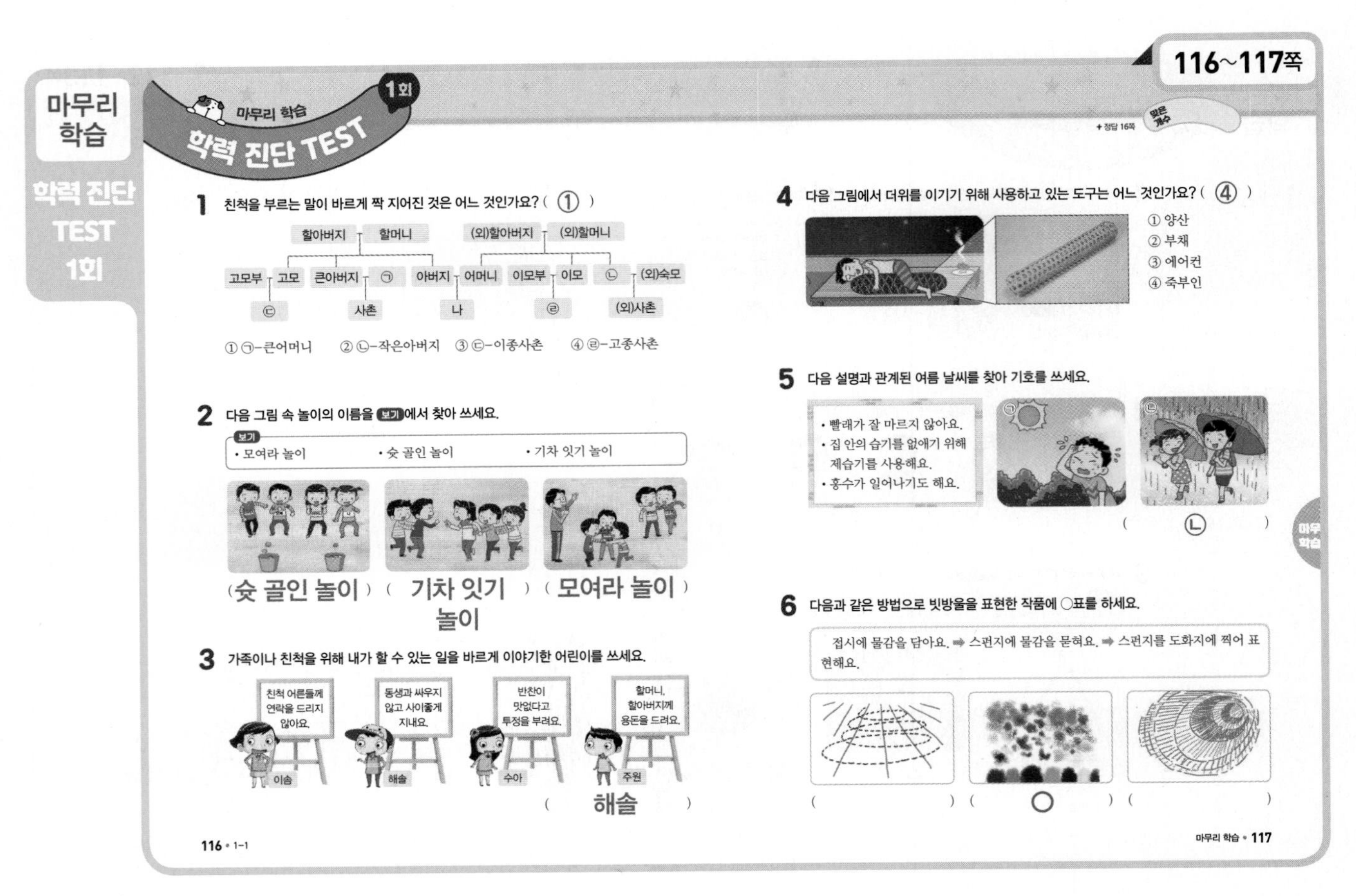

116~117쪽

마무리 학습

학력 진단 TEST 1회

마무리 학습 학력 진단 TEST 1회

1 친척을 부르는 말이 바르게 짝 지어진 것은 어느 것인가요? (①)

할아버지 – 할머니 / (외)할아버지 – (외)할머니

고모부 – 고모, 큰아버지 – ㉠, 아버지 – 어머니, 이모부 – 이모, ㉡ – (외)숙모

㉢, 사촌, 나, ㉣, (외)사촌

① ㉠–큰어머니 ② ㉡–작은아버지 ③ ㉢–이종사촌 ④ ㉣–고종사촌

2 다음 그림 속 놀이의 이름을 보기에서 찾아 쓰세요.

보기: • 모여라 놀이 • 숫 골인 놀이 • 기차 잇기 놀이

(숫 골인 놀이) (기차 잇기 놀이) (모여라 놀이)

3 가족이나 친척을 위해 내가 할 수 있는 일을 바르게 이야기한 어린이를 쓰세요.

- 이솔: 친척 어른들께 연락을 드리지 않아요.
- 해솔: 동생과 싸우지 않고 사이좋게 지내요.
- 수아: 반찬이 맛없다고 투정을 부려요.
- 주원: 할머니, 할아버지께 용돈을 드려요.

(해솔)

4 다음 그림에서 더위를 이기기 위해 사용하고 있는 도구는 어느 것인가요? (④)

① 양산 ② 부채 ③ 에어컨 ④ 죽부인

5 다음 설명과 관계된 여름 날씨를 찾아 기호를 쓰세요.

- 빨래가 잘 마르지 않아요.
- 집 안의 습기를 없애기 위해 제습기를 사용해요.
- 홍수가 일어나기도 해요.

(㉡)

6 다음과 같은 방법으로 빗방울을 표현한 작품에 ○표를 하세요.

접시에 물감을 담아요. ➡ 스펀지에 물감을 묻혀요. ➡ 스펀지를 도화지에 찍어 표현해요.

( ) (○) ( )

116 • 1-1 / 마무리 학습 • 117

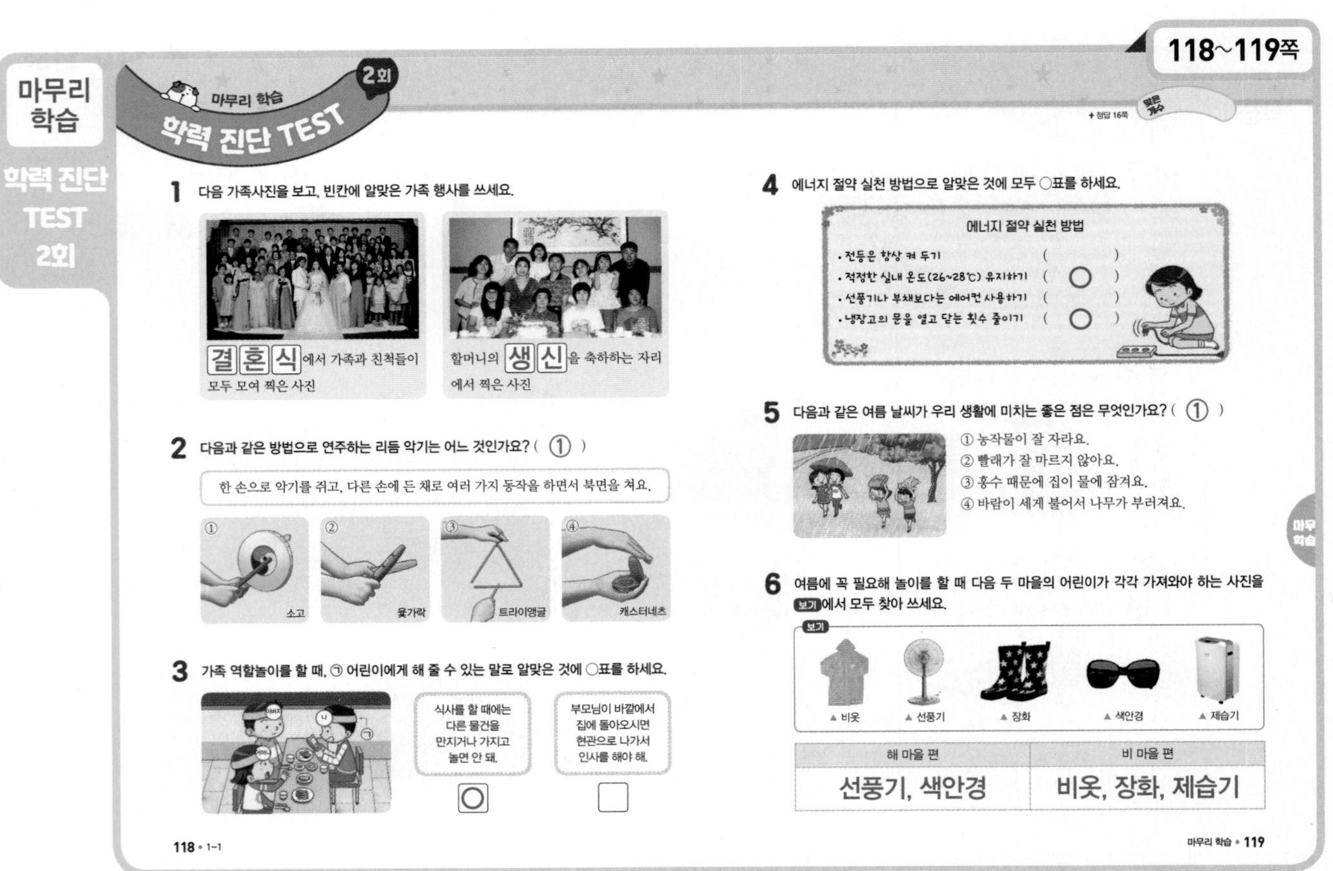

118~119쪽

마무리 학습

학력 진단 TEST 2회

마무리 학습 학력 진단 TEST 2회

1 다음 가족사진을 보고, 빈칸에 알맞은 가족 행사를 쓰세요.

[결][혼][식]에서 가족과 친척들이 모두 모여 찍은 사진

할머니의 [생][신]을 축하하는 자리에서 찍은 사진

2 다음과 같은 방법으로 연주하는 리듬 악기는 어느 것인가요? (①)

한 손으로 악기를 쥐고, 다른 손에 든 채로 여러 가지 동작을 하면서 북면을 쳐요.

① 소고 ② 윷가락 ③ 트라이앵글 ④ 캐스터네츠

3 가족 역할놀이를 할 때, ㉠ 어린이에게 해 줄 수 있는 말로 알맞은 것에 ○표를 하세요.

- 식사를 할 때에는 다른 물건을 만지거나 가지고 놀면 안 돼. (○)
- 부모님이 바깥에서 집에 돌아오시면 현관으로 나가서 인사를 해야 해. ( )

4 에너지 절약 실천 방법으로 알맞은 것에 모두 ○표를 하세요.

에너지 절약 실천 방법

- 전등은 항상 켜 두기 ( )
- 적정한 실내 온도(26~28℃) 유지하기 (○)
- 선풍기나 부채보다는 에어컨 사용하기 ( )
- 냉장고의 문을 열고 닫는 횟수 줄이기 (○)

5 다음과 같은 여름 날씨가 우리 생활에 미치는 좋은 점은 무엇인가요? (①)

① 농작물이 잘 자라요.
② 빨래가 잘 마르지 않아요.
③ 홍수 때문에 집이 물에 잠겨요.
④ 바람이 세게 불어서 나무가 부러져요.

6 여름에 꼭 필요해 놀이를 할 때 다음 두 마을의 어린이가 각각 가져와야 하는 사진을 보기에서 모두 찾아 쓰세요.

보기: 비옷, 선풍기, 장화, 색안경, 제습기

해 마을 편	비 마을 편
선풍기, 색안경	비옷, 장화, 제습기

118 • 1-1 / 마무리 학습 • 119

기초
학습능력 강화
프로그램

활동 꾸러미

바른 생활
슬기로운 생활
즐거운 생활

1-1

차례

옛날 사람들의 여름날 생활 모습

옷 안에 등등거리와 등토시를 입으면 땀이 옷에 배지 않아요.

등토시

등등거리

부채로 바람을 일으켜 더위를 식혀요.

부채

영양이 풍부한 닭백숙을 먹으면서 더위를 이겨 내요.

닭백숙

대나무를 엮어 만든 죽부인을 안고 자면 시원해요.

죽부인

비가 올 때 짚으로 만든 도롱이를 입고, 나무로 만든 나막신을 신어요.

도롱이

나막신

✂ 자르는 선

어휘 카드

카드 위쪽의 구멍을 뚫고 묶어서 사용하세요.

가족

친척

소개

· 부르는 말 : 이모

· 이름 : 김하나

· 잘하는 것 : 춤추기

· 특징 : 키가 크고 다리가 길다!

리듬 악기

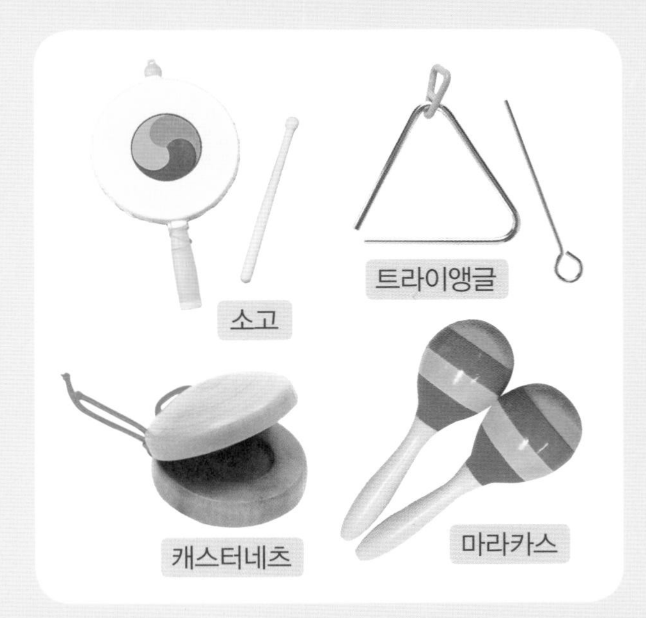

▶ 점선을 따라 접어서 붙여 쓰세요.

친척

親	戚
친할 **친**	친척 **척**

아버지, 어머니와 핏줄이 같은 가까운 사람으로, 결혼이나 출산으로 새롭게 생겨나기도 해요.

예 아버지와 관계된 **친척**에는 할아버지, 할머니, 큰아버지, 고모 등이 있어요.

가족

家	族
집 **가**	겨레 **족**

주로 부부를 중심으로 하여 한 가정을 이루는 사람들이에요.

예 가족사진을 보면서 **가족**이 함께 한 일에 대하여 이야기해 보았어요.

리듬 악기

두드리거나 흔들어서 소리를 내는 악기로, 리듬에 대한 감각이나 능력을 기르기 위하여 써요.

예 소고, 트라이앵글, 캐스터네츠 등과 같은 **리듬 악기**로 박을 치며 노래할 수 있어요.

소개

紹	介
이을 **소**	끼일 **개**

잘 알려지지 않았거나, 모르는 사실이나 내용을 잘 알도록 설명하는 것이에요.

예 우리 가족 중 한 사람을 정하여 가족 **소개** 카드를 만들어요.

▲ 점선을 따라 접어서 붙여 쓰세요.

어휘 카드

카드 위쪽의 구멍을 뚫고 묶어서 사용하세요.

행사

하나네 가족 행사표

- 2월4일 엄마 생신
- 3월15일 동생 생일
- 4월 8일 여행
- 6월22일 아빠 생신
- 7월 5일 내 생일
- 9월15일 할머니 생신
- 10월4일 추석
- 12월18일 제사

여준이네 가족 행사

- 2월26일 아빠 생신
- 4월14일 엄마 생신
- 5월 9일 가족 여행
- 6월6일 이사
- 9월 3일 이모 결혼
- 12월8일 할아버지 생신

명절

제사

운동회

▶ 점선을 따라 접어서 붙여 쓰세요.

명절

名	節
이름 **명**	마디 **절**

해마다 일정하게 지키어 즐기거나 기념하는 때를 말해요.

예 우리나라에는 설날, 단오, 추석 등과 같은 **명절**이 있어요.

행사

行	事
다닐 **행**	일 **사**

계획과 일정에 따라 많은 사람이 모여 치르는 일을 말해요.

예 생일, 결혼식, 명절 등 우리 가족의 대표적인 **행사**를 조사하여 가족 행사표를 만들어요.

운동회

運	動	會
운전할 **운**	움직일 **동**	모일 **회**

여러 사람이 모여 여러 가지 운동 경기를 하는 모임을 말해요.

예 가족과 친척이 함께 '모여라' 놀이, '기차 잇기' 놀이 등을 하면서 즐거운 가족 **운동회**를 해요.

제사

祭	祀
제사 **제**	제사 **사**

돌아가신 분을 기리기 위하여 음식을 바치며 정성을 나타내는 의식을 말해요.

예 어젯밤 가족들이 모여 음식을 차려 놓고 절을 하면서 할아버지 **제사**를 지냈어요.

▲ 점선을 따라 접어서 뜯어 쓰세요.

어휘 카드

카드 위쪽의 구멍을 뚫고 묶어서 사용하세요.

예절

감사

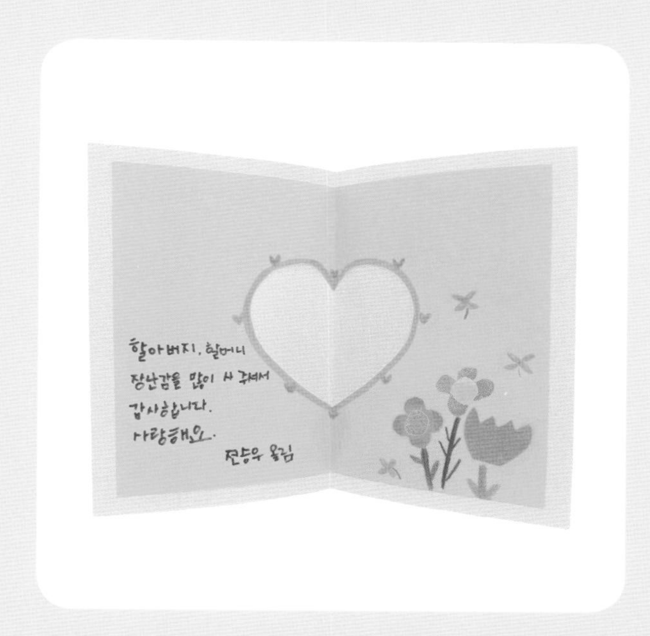

여름

더위

▶ 점선을 따라 접어서 뜯어 쓰세요.

카드 위쪽의 구멍을 뚫고 묶어서 사용하세요.

감사

感	謝
느낄 **감**	사례할 **사**

고마움을 나타내는 인사를 말해요.
예 가족에게 고마운 마음을 전하기 위하여 **감사** 카드를 만들어요.

예절

禮	節
예도 **예**	마디 **절**

다른 사람을 소중히 대하기 위하여 나타내는 말투나 몸가짐에 대한 모든 방법을 말해요.
예 친척 어른을 만나면 앞으로 가서 인사를 해야 **예절** 바른 행동이에요.

더위

여름철의 더운 기운을 말해요.
예 여름에는 아이스크림이나 빙수와 같은 시원한 음식을 먹으며 **더위**를 식히기도 해요.

여름

봄과 가을 사이에 있는 계절로, 낮이 길고 더운 계절이에요.
예 사람들은 **여름**을 시원하게 보내기 위하여 수영장이나 바닷가 등에서 물놀이를 해요.

▲ 점선을 따라 접어서 붙여 쓰세요.

어휘 카드

카드 위쪽의 구멍을 뚫고 묶어서 사용하세요.

감각

죽부인

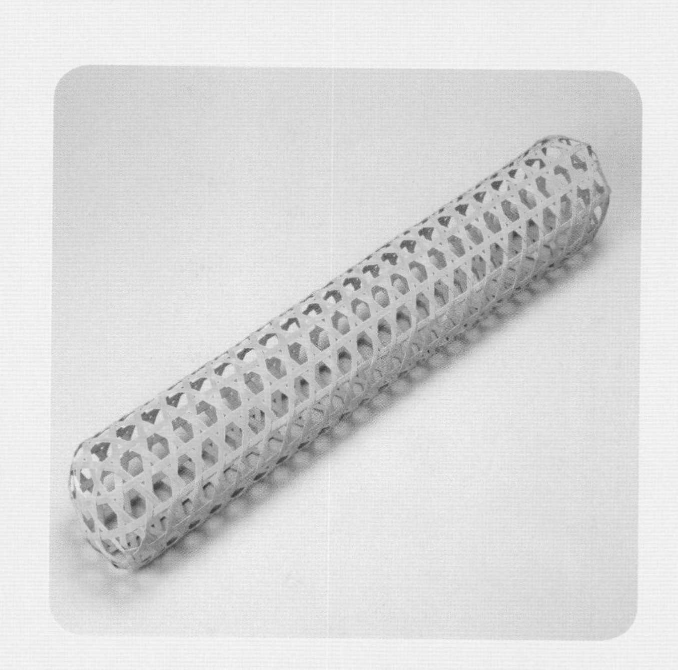

에너지

부채

▶ 점선을 따라 접어서 뜯어 쓰세요.

카드 위쪽의 구멍을 뚫고 묶어서 사용하세요.

죽부인

竹	夫	人
대나무 **죽**	남편 **부**	사람 **인**

대나무를 길고 둥글게 엮어 만든 도구로, 여름밤에 서늘한 기운이 돌게 하기 위하여 끼고 자요.

예 더운 여름날 **죽부인**을 안고 누워 있으면 시원해요.

감각

感	覺
느낄 **감**	깨달을 **각**

눈, 코, 귀, 혀, 피부를 통하여 바깥의 어떤 자극을 알아차리는 것을 말해요.

예 우리 몸의 **감각** 기관 중 귀를 이용하여 새소리를 들어 볼 수 있어요.

부채

손으로 흔들어 바람을 일으켜서 더위를 식혀 주는 물건을 말해요.

예 선풍기나 에어컨이 없을 때는 **부채**를 사용하여 더위를 식힐 수 있어요.

에너지

물체가 가지고 있는, 일을 할 수 있는 힘을 말해요.

예 여름철에는 실내 온도를 26~28℃로 유지해야 **에너지**를 아낄 수 있어요.

▲ 점선을 따라 잘라서 들어 쓰세요.

어휘 카드

카드 위쪽의 구멍을 뚫고 묶어서 사용하세요.

일기 예보

제습기

장마

태풍

▶ 점선을 따라 잘라서 뜯어 쓰세요.

카드 위쪽의 구멍을 뚫고 묶어서 사용하세요.

제습기

除	濕	機
덜 **제**	축축할 **습**	기계 **기**

물기가 많아 젖은 듯한 기운을 없애는 기계예요.

예 장마철에는 집 안의 습기를 없애기 위해 **제습기**를 자주 틀어요.

일기 예보

日	氣	豫	報
날 **일**	기운 **기**	미리 **예**	갚을 **보**

날씨의 변화를 예상하여 미리 알리는 일이에요.

예 **일기 예보**에서 오늘 밤부터 많은 비가 내릴 것이라고 했어요.

태풍

颱	風
태풍 **태**	바람 **풍**

매우 강한 바람과 함께 많은 양의 비가 내리게 하는 날씨를 말해요.

예 **태풍**이 오면 바람이 세게 불어 나무가 부러지기도 해요.

장마

여름철에 여러 날을 계속해서 비가 내리는 날씨를 말해요.

예 우리나라는 6월 말에서 7월 말 사이에 **장마**가 와요.

▲ 점선을 따라 잘라서 붙여 쓰세요.

어휘 카드

카드 위쪽의 구멍을 뚫고 묶어서 사용하세요.

양치질

절약

물웅덩이

원두막

▶ 점선을 따라 접어서 뜯어 쓰세요.

절약

節	約
마디 **절**	맺을 **약**

함부로 쓰지 않고 꼭 필요한 데에만 써서 아끼는 것이에요.

예 물을 함부로 쓰면 나중에 물이 없어질 수 있기 때문에 **절약**해야 해요.

양치질

이를 닦고 물로 입 안을 깨끗이 헹구는 일이에요.

예 음식을 먹고 난 후에는 꼭 **양치질**을 해야 해요.

원두막

園	頭	幕
동산 **원**	머리 **두**	막 **막**

오이, 참외, 수박, 호박 등을 심은 밭을 지키기 위하여 밭 양쪽 끝에 지은 것이에요.

예 **원두막**에 둘러앉아 밭에서 따 온 수박을 먹었어요.

물웅덩이

움푹 파여 물이 괴어 있는 곳이에요.

예 어젯밤에 내린 비로 운동장에 군데군데 **물웅덩이**가 생겼어요.

▲ 점선을 따라 잘라서 들어 쓰세요.

핵심 카드

카드 위쪽의 구멍을 뚫고 묶어서 사용하세요.

1 상상한 가족사진 만들기

신문이나 ❶ ☐☐에서 어울리는 인물 찾기 → 찾은 인물을 가위로 오리기 → 오려 낸 인물을 붙여 가족사진 구성하기 → 가족 ❷ ☐☐를 알 수 있게 배경 꾸미기

정답 ❶ 예 잡지 ❷ 행사

2 친척을 부르는 말

- 아버지 위에는 할아버지와 할머니가, 옆에는 큰아버지네, ❶ ☐☐네 가족이 있습니다.
- ❷ ☐☐☐ 위에는 (외)할아버지와 (외)할머니가, 옆에는 (외)삼촌네, 이모네 가족이 있습니다.
- 의자에 앉아 있는 사람들은 나의 사촌들입니다.

정답 ❶ 고모 ❷ 어머니

3 가족 소개 카드 만들기

가족 중에서 소개할 사람 정하기

→

소개 카드에 들어갈 ❶ ☐☐ 정하기

↙

가족의 ❷ ☐☐을 생각하며 카드 꾸미기

가족 소개 카드

- 부르는 말: 형
- 이름: 전승우
- 잘하는 것: 수학
- 별명: 수학 박사

정답 ❶ 예 내용 ❷ 예 특징

4 가족 달리기

- 4~5명이 한 가족이 되어 가족 ❶ ☐☐을 정하고, 정해진 가족 이름표를 가슴에 붙입니다.
- 같은 역할끼리 달리기, 함께 달리기, ❷ ☐☐☐☐☐ 등 여러 가지 방법으로 가족 달리기 시합을 합니다.

정답 ❶ 역할 ❷ 이어달리기

▶ 점선을 따라 접어서 붙여 쓰세요.

카드 위쪽의 구멍을 뚫고 묶어서 사용하세요.

1 상상한 가족사진 만들기

✦ 다음은 반 친구들이 만든 상상한 가족사진을 보는 모습이에요. 빈칸에 알맞은 말을 쓰세요.

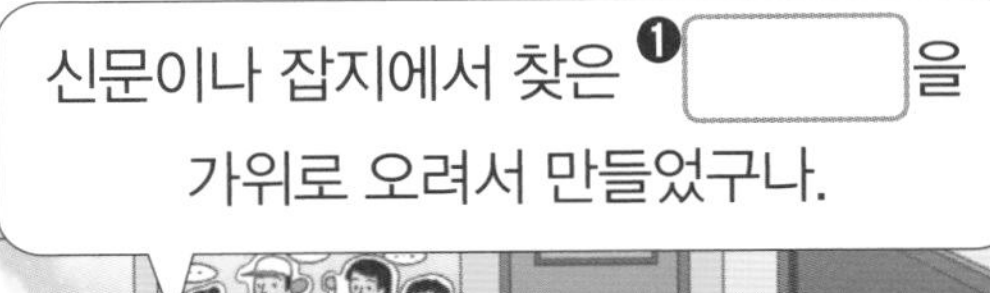

신문이나 잡지에서 찾은 ❶ ☐ 을 가위로 오려서 만들었구나.

색연필로 그린 배경을 보니 가족 여행 때 찍은 사진을 ❷ ☐ 하여 만든 것 같아.

정답 ❶ 인물 ❷ 상상

2 친척을 부르는 말

✦ 다음 사다리를 타고 내려가 빈칸에 알맞은 친척을 부르는 말을 쓰세요.

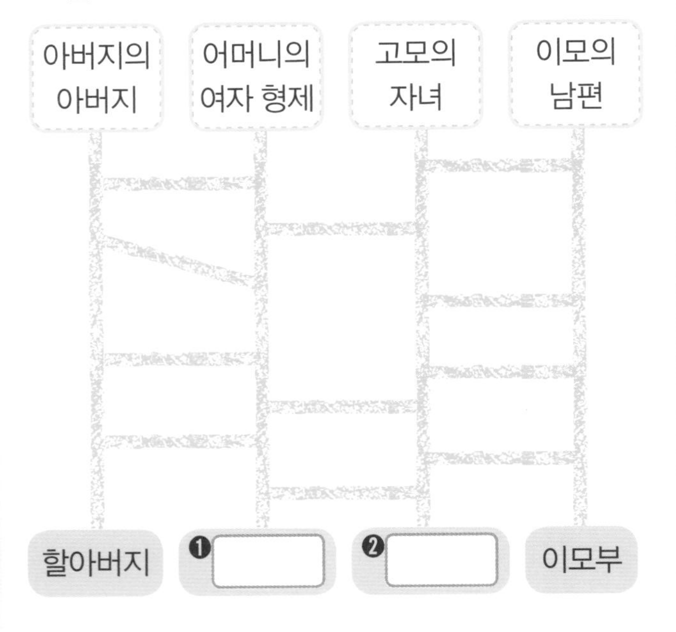

할아버지 ❶ ☐ ❷ ☐ 이모부

정답 ❶ 고종사촌 ❷ 이모

3 가족 소개 카드 만들기

✦ 다음은 가족 소개 카드를 만드는 모습이에요. 빈칸에 알맞은 말을 쓰세요.

저는 크레파스를 사용하여 형을 그렸어요. 형은 ❶ ☐ 을 아주 잘하는 특징이 있어요.

정답 ❶ 수학 ❷ 형

4 가족 달리기

✦ 다음 가족 달리기 시합을 하는 모습을 보고, 빈칸에 알맞은 말을 쓰세요.

위 그림은 ❶ ☐ 와 ❷ ☐ 의 이름표를 붙인 학생들이 함께 달리는 부부 달리기 모습이에요.

정답 ❶ 어머니(아버지) ❷ 아버지(어머니)

▲ 점선을 따라 접어서 붙여 쓰세요.

핵심 카드

카드 위쪽의 구멍을 뚫고 묶어서 사용하세요.

5 가족 그리기

가족의 ❶ ☐☐을 살려 한 사람씩 그린 후, 색칠함.

↓

색칠을 마친 그림을 가위로 오림.

↓

내가 그린 가족 그림을 전시한 후, 가족의 특징을 ❷ ☐☐함.

정답 ❶ 예 특징 ❷ 소개

6 리듬 악기 연주 방법

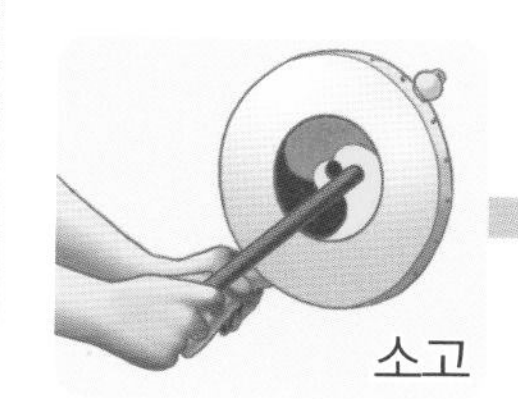

한 손으로 소고를 쥐고, 다른 손에 든 소고 ❶ ☐로 여러 동작을 하면서 소고를 침.

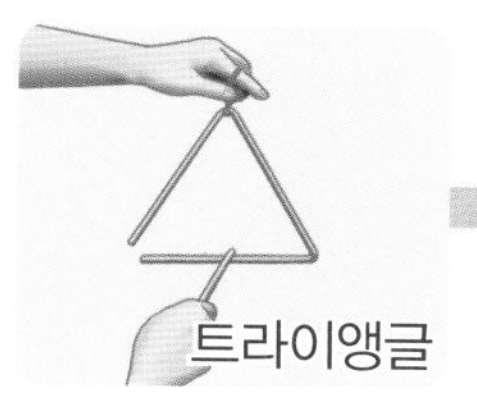

고무줄을 한 손 집게손가락에 끼우고, 다른 손으로 채를 들어 ❷ ☐☐ 가운데 부분을 가볍게 침.

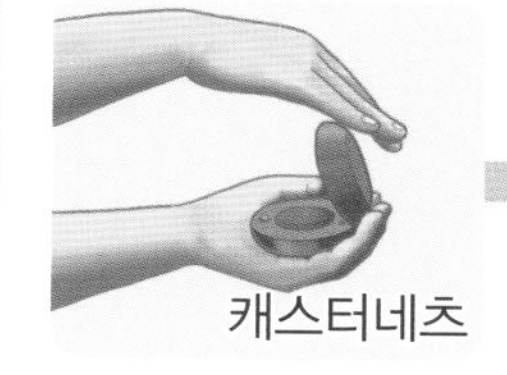

한 손의 손바닥 위에 올려놓고, 다른 손의 집게손가락과 가운뎃손가락으로 함께 침.

정답 ❶ 채 ❷ 밑변

7 가족 행사표 만들기

행사	날짜
엄마 생신	1월 5일
아빠 생신	2월 11일
부모님 결혼 기념일	4월 15일
어버이날	5월 8일
내 생일	7월 5일
할머니 환갑 잔치	9월 29일

- **대표적인 가족 행사:** ❶ ☐☐, 명절, 제사, 결혼식, 졸업식 등이 있습니다.
- **가족 행사표를 만드는 방법:** 가족 ❷ ☐☐를 조사하고 가족 행사표에 행사를 적은 후 연결합니다.

정답 ❶ 예 생일 ❷ 행사

8 가족 운동회 하기

모여라 놀이

'빙빙 돌아라' 노래를 부르며 돌다가 선생님이 제시한 ❶ ☐☐대로 모이기

숫 골인 놀이

바구니에 콩 주머니를 많이 넣은 편 가리기

기차 잇기 놀이

가위바위보를 한 후, 진 학생은 이긴 학생의 뒤로 가서 ❷ ☐☐ 부분을 잡고 따라다니기

정답 ❶ 숫자(호칭) ❷ 허리

▶ 점선을 따라 접어서 뜯어 쓰세요.

5 가족 그리기

✚ 가족의 특징을 살려 그린 그림을 소개하는 모습을 보고, 빈칸에 알맞은 말을 쓰세요.

우리 ❶ [ ] 는 컴퓨터를 잘하시고,
우리 ❷ [ ] 는 요리를 좋아하세요.
아버지
동생
어머니

정답 ❶ 아버지 ❷ 어머니

6 리듬 악기 연주 방법

✚ 다음 코딩 명령에 따라 내려가 빈칸에 알맞은 악기를 쓰세요.

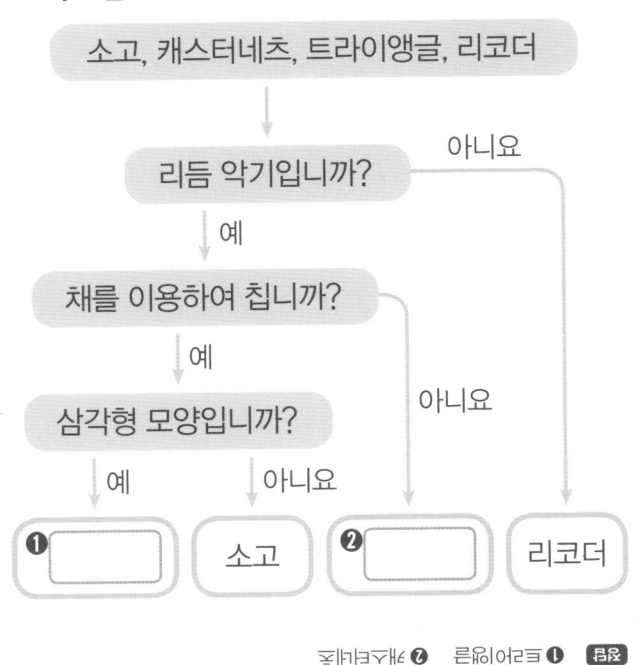

리듬 악기입니까?

채를 이용하여 칩니까?

삼각형 모양입니까?

정답 ❶ 트라이앵글 ❷ 캐스터네츠

7 가족 행사표 만들기

✚ 다음 친구들의 대화를 읽고, 빈칸에 알맞은 가족 행사를 쓰세요.

얘들아, 주말 보냈어?
응. 나는 이모 ❶ [ ] 에 다녀왔어. 하얀 웨딩드레스를 입은 이모가 정말 예뻤어.
나는 할머니 댁에 다녀왔어. 할머니의 61번째 생신이었거든.
할머니 ❷ [ ] 잔치를 했구나. 할머니께서 좋아하셨겠다.

정답 ❶ 결혼식 ❷ 환갑

8 가족 운동회 하기

✚ 다음 가족 운동회 모습을 보고, 빈칸에 알맞은 놀이의 이름을 낱말 카드에서 찾아 쓰세요.

❷ [ ] 잇기 놀이

차 여 으 오 골 탑
공 어 인 돌 라 풍

정답 ❶ 모여라 ❷ 기차

▲ 점선을 따라 접어서 붙여 쓰세요.

핵심 카드

카드 위쪽의 구멍을 뚫고 묶어서 사용하세요.

9 상황에 맞는 예절 바른 행동

다녀오겠습니다.

학교에 갈 때 부모님께 ❶ ☐☐를 함.

식사할 때 장난치지 않고 바른 자세로 먹음.

선물을 받았을 때 ❷ ☐☐ 인사를 함.

전화할 때 인사하고 내가 누군지 말함.

정답 ❶ 인사 ❷ 감사

10 가족을 위해 할 수 있는 일

자주 ❶ ☐☐ 드리기

자주 찾아뵙고 시간을 함께 보내기

형제끼리 싸우지 않고 사이좋게 지내기

힘든 일이 있을 때 ❷ ☐☐해 드리기

정답 ❶ 연락 ❷ 위로

11 감사의 마음 전하기

카드 만들기

가족에게 고마운 마음을 전하는 내용을 담아 ❶ ☐☐ 카드를 만들어 드립니다.

영상 편지 쓰기

카메라 앞에서 가족에게 하고 싶은 말을 쓴 스케치북을 넘기며 영상 ❷ ☐☐를 씁니다.

정답 ❶ 감사 ❷ 편지

12 우리 몸으로 여름 느껴 보기

귀: ❶ ☐☐가 '맴맴' 우는 소리가 남.

눈: 초록색 나뭇잎이 많음.

코: 친구들 ❷ ☐ 냄새가 남.

입: 물이나 공기는 아무 맛도 나지 않음.

손(피부): 나무가 거칠고, 몸이 끈적거림.

정답 ❶ 매미 ❷ 땀

▶ 점선을 따라 접어서 뜯어 쓰세요.

9 상황에 맞는 예절 바른 행동

✦ 가족과 식사하는 모습의 역할놀이를 보고, 바르지 못한 행동을 찾아 빈칸에 알맞은 말을 쓰세요.

식사할 때 ❶ [   ] 을 치고 있음.

❷ [   ] 을 보며 밥을 먹고 있음.

정답 ❶ 장난 ❷ 예 스마트폰

10 가족을 위해 할 수 있는 일

✦ 다음은 가족을 위해 할 수 있는 일을 정리한 것이에요. 빈칸에 알맞은 말을 쓰세요.

- 꼭 안아 드리기
- 자주 연락 드리기
- ❶ [   ] 끼리 사이좋게 지내기
- 즐겁게 해 드리기
- 위로해 드리기
- 자주 찾아뵙기
- 음식을 먹고 함께 ❷ [   ] 하기
- 매일 안마해 드리기

정답 ❶ 형제 ❷ 예 정리

11 감사의 마음 전하기

✦ 다음 가족이나 친척에게 마음을 표현하는 모습을 보고, 빈칸에 알맞은 말을 쓰세요.

할머니, 자주 연락을 드리지 못해서 죄송해요.
이제부터는 자주 놀러 갈게요.

위 그림 속 지아는 할머니께 하고 싶은 말을 ❶ [   ] 에 적고 카메라로 찍어 ❷ [   ] 편지를 보내고 있습니다.

정답 ❶ 스케치북 ❷ 영상

12 우리 몸으로 여름 느껴 보기

✦ 다음은 우리 몸을 이용하여 여름을 관찰하는 모습이에요. 빈칸에 알맞은 말을 쓰세요.

 눈으로 나뭇잎의 색깔을 살펴봐요.

 코로 친구들 땀 ❶ [   ] 를 맡아요.

 혀로 물이나 공기의 맛을 봐요.

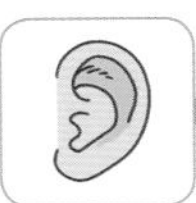 귀로 매미가 '맴맴' 우는 ❷ [   ] 를 들어요.

 손으로 나무 기둥을 만져요.

정답 ❶ 냄새 ❷ 소리

▲ 점선을 따라 접어서 붙여 쓰세요.

핵심 카드

◌ 카드 위쪽의 구멍을 뚫고 묶어서 사용하세요.

13 더운 여름날의 생활 모습

- 소매가 없는 옷이나 반바지처럼 시원한 옷을 입고, 샌들을 신기도 합니다.
- 아이스크림이나 빙수처럼 시원한 음식을 먹고, 바다나 계곡으로 놀러 가서 ❶ □□□를 합니다.
- 선풍기나 ❷ □□□을 사용합니다.

정답 ❶ 물놀이 ❷ 에어컨

14 여름을 잘 보내기 위해 해야 할 일

땀을 많이 흘리므로 ❶ □ 많이 마시기

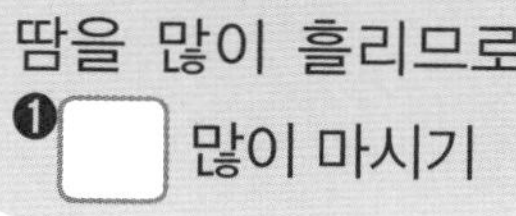

얇고 바람이 잘 통하는 옷 입기

에어컨의 온도를 너무 낮추지 않기

❷ □□□에 음식물 보관하기

정답 ❶ 물 ❷ 냉장고

15 에너지 절약

- **위 그림에 나타난 문제점**: 사람들이 에너지를 ❶ □□해서 지구가 힘들어하고 있습니다.
- **에너지를 아낄 수 있는 방법**: 냉장고 문을 여닫는 횟수 줄이기, 실내 온도 26~28℃ 유지하기, 사용하지 않는 ❷ □□□ 뽑아 두기 등

정답 ❶ 낭비 ❷ 플러그

16 부채 만들어 사용하기

부채 만들기

세 장의 ❶ □□를 접어 붙이고, 나무 막대를 종이 양쪽 끝에 붙여 만듦.

부채질 놀이하기

가위바위보를 해서 이긴 친구가 ❷ □□□을 해 줌.

에너지 아끼기 운동하기

구호를 외치고 부채를 나누어 주면서 에너지 아끼기 운동을 함.

정답 ❶ 종이 ❷ 부채질

▶ 점선을 따라 접어서 뜯어 쓰세요.

14 여름을 잘 보내기 위해 해야 할 일

✚ 여름을 잘 보내기 위해 해야 할 일을 정리한 것을 보고, 빈칸에 알맞은 말을 쓰세요.

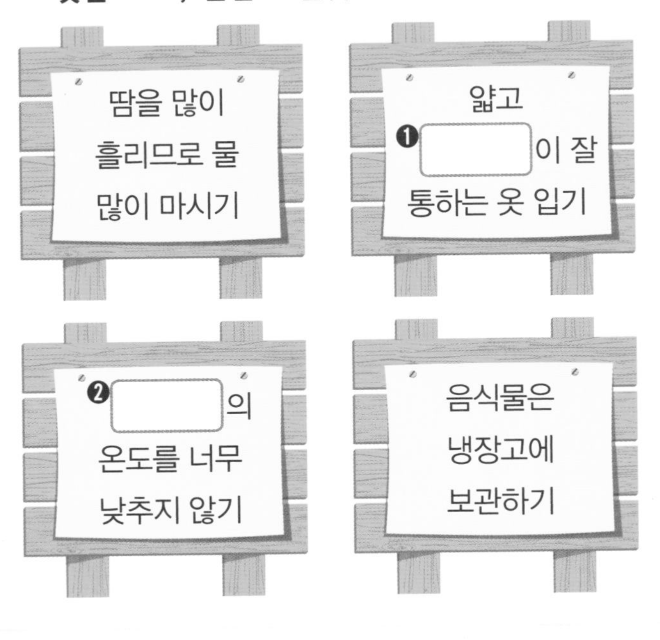

정답 ❶ 바람 ❷ 에어컨

13 더운 여름날의 생활 모습

✚ 더운 여름날의 생활 모습을 보고, 빈칸에 알맞은 말을 쓰세요.

반팔 등 시원한 옷을 입고, ❶ ☐을 신어요.
물놀이를 해요.
아이스크림, ❷ ☐ 등과 같은 시원한 것을 먹어요.

정답 ❶ 예 샌들 ❷ 예 빙수

16 부채 만들어 사용하기

✚ 다음 일기의 빈칸에 알맞은 말을 쓰세요.

20○○년 ○월 ○○일 날씨:

오늘 학교에서 ❶ ☐ 아끼기 운동을 했다. '에어컨 사용을 줄입시다.' 등과 같은 구호를 외치기도 하고, 지난 수업 시간에 종이와 나무 막대를 이용해 만든 ❷ ☐를 사람들에게 나누어 주기도 했다. 무척 더운 날씨에 조금 힘들었지만 참 보람찬 하루였다.

정답 ❶ 에너지 ❷ 부채

15 에너지 절약

✚ 다음은 에너지를 아낄 수 있는 방법을 나타낸 그림이에요. 빈칸에 알맞은 말을 쓰세요.

❶ ☐의 문을 열고 닫는 횟수를 줄여요.
26℃
적정한 ❷ ☐ (26~28℃)를 유지해요.

정답 ❶ 냉장고 ❷ 실내 온도

▲ 점선을 따라 접어서 붙여 쓰세요.

핵심 카드

카드 위쪽의 구멍을 뚫고 묶어서 사용하세요.

17 비 오는 여름날 생활 모습

- 우산을 쓰거나 ❶ □□을 입고, 장화를 신고 다닙니다.
- 집에서 ❷ □□ □□를 확인하고, 제습기를 사용합니다.
- 홍수 피해를 막기 위해 물가에 모래주머니를 쌓습니다.

정답 ❶ 비옷 ❷ 일기 예보

18 장마와 태풍의 영향

좋은 점	• 비가 오면 농작물이 잘 자람. • 비가 오면 사용할 수 있는 ❶ □이 많아짐.
좋지 않은 점	• 홍수 때문에 집이 물에 잠김. • ❷ □□이 세게 불어서 나무가 부러짐.

정답 ❶ 물 ❷ 바람

19 태풍 놀이의 방법

1. 술래 ❶ □□을 정함.
2. 태풍에게 잡히면 '작은 태풍'이 됨.
3. 작은 태풍은 제자리에서 ❷ □만 흔들어 친구들을 잡음.
4. 도망을 다니던 친구들이 모두 다 잡히면 놀이가 끝남.

정답 ❶ 태풍 ❷ 발

20 물을 아껴 쓸 수 있는 방법

❶ □를 닦을 때 양치 컵을 사용합니다.

손을 씻거나 샤워를 할 때 물을 잠그고 ❷ □□□을 합니다.

물을 사용하고 난 다음에는 수도꼭지를 꼭 잠급니다.

정답 ❶ 이 ❷ 비누칠

▶ 점선을 따라 접어서 뜯어 쓰세요.

17 비 오는 여름날 생활 모습

✚ 다음 비 오는 여름날 사람들의 생활 모습을 보고, 빈칸에 알맞은 말을 쓰세요.

외출할 때 우산과 비옷, ❶ [ ] 를 준비해요.

홍수로 인한 피해를 막기 위해 물가에 ❷ [ ] 를 쌓아요.

정답 ❶ 장화 ❷ 모래주머니

18 장마와 태풍의 영향

✚ 다음 생각 그물의 빈칸에 알맞은 말을 쓰세요.

비가 오면 ❶ [ ] 이 잘 자람.

비가 오면 사용할 수 있는 물이 많아짐.

❷ [ ] 때문에 집이 물에 잠김.

바람이 세게 불어서 나무가 부러짐.

정답 ❶ 예 농작물 ❷ 홍수

19 태풍 놀이의 방법

✚ 다음 친구들이 태풍 놀이를 하는 모습을 보고, 빈칸에 알맞은 말을 쓰세요.

❶ [ ] 에게 잡히면 작은 태풍이 돼요.

❷ [ ] 은 제자리에서 팔만 흔들어 친구들을 잡아요.

정답 ❶ 태풍 ❷ 작은 태풍

20 물을 아껴 쓸 수 있는 방법

✚ 다음 선생님의 질문을 읽고, 빈칸에 알맞은 말을 쓰세요.

물을 아껴 쓰는 방법에는 어떤 것들이 있을까요?

이를 닦을 때 ❶ [ ] 을 사용해요.

손을 씻을 때 물을 잠그고 비누칠을 해요.

수돗가에서 물로 장난을 치지 않아요.

물을 사용한 다음에는 ❷ [ ] 를 꼭 잠가요.

정답 ❶ 양치 컵 ❷ 수도꼭지

▲ 점선을 따라 접어서 붙여 쓰세요.

카드 위쪽의 구멍을 뚫고 묶어서 사용하세요.

21 물 모으기 놀이 방법

두 편으로 나누기 ➡ ❶[ ]을 들고 서기 ➡ 달려가 수조 안에 컵을 넣어 물을 담기 ➡ 물을 흘리지 말고 돌아오기 ➡ 컵의 물을 수조에 담기 ➡ ❷[ ]을 많이 모은 편이 승리

정답 ❶ 컵 ❷ 물

22 여름에 꼭 필요해 놀이 방법

공격편

❶[ ][ ][ ]에 잡히지 않고 넘어가 우리 마을에 필요한 것을 찾아 되돌아옴.

술래편

❷[ ][ ] 칸 안에서 다른 마을 친구들이 지나가지 못하게 지킴.

정답 ❶ 술래편 ❷ 수비

23 여름을 몸으로 표현하기

표현 방법 "하나, 둘, 셋, 찰칵!" 하면 ❶[ ]으로 표현하고 멈추면 다른 친구들은 친구가 표현한 것이 무엇인지 이야기합니다.

표현하기

쨍쨍 내리쬐는 ❷[ ][ ]	들판의 나무	부채질 하는 모습

정답 ❶ 몸 ❷ 햇볕(햇빛)

24 여름의 모습 그리기

가족과 ❶[ ][ ]에서 물놀이 하는 모습

할머니와 ❷[ ][ ]을 먹는 모습

비 오는 날 우산 쓰고 학교 가는 모습

주말 농장에서 감자를 캐는 모습

정답 ❶ 예 바다 ❷ 수박

▶ 점선을 따라 접어서 붙여 쓰세요.

22 여름에 꼭 필요해 놀이 방법

✦ 다음 여름에 꼭 필요해 놀이를 하는 모습을 보고, 빈칸에 알맞은 말을 쓰세요.

❶ [ ]은 다른 마을 친구들이 지나가지 못하게 지켜요.

❷ [ ]은 술래편에 잡히지 않고 넘어가 우리 마을에 필요한 것을 찾아 되돌아와요.

정답 ❶ 술래편 ❷ 공격편

21 물 모으기 놀이 방법

✦ 다음 물 모으기 놀이 방법을 보고, 빈칸에 알맞은 말을 쓰세요.

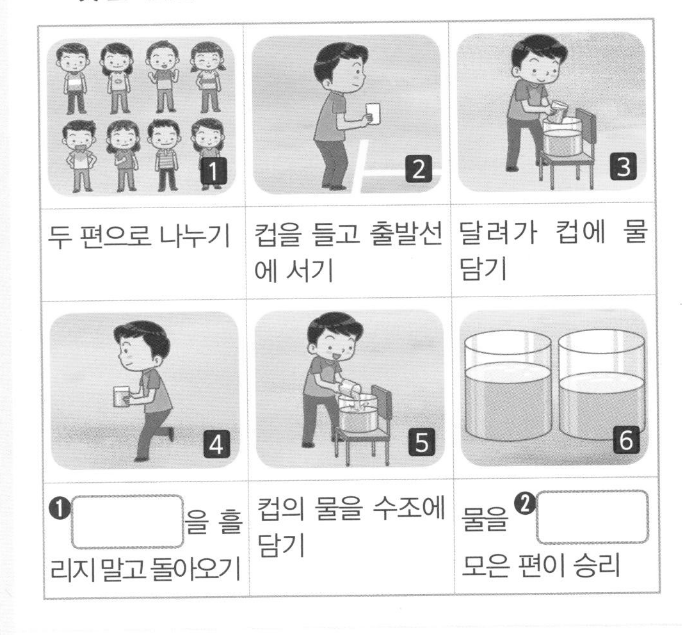

1	2	3
두 편으로 나누기	컵을 들고 출발선에 서기	달려가 컵에 물 담기
4	**5**	**6**
❶ [ ]을 흘리지 말고 돌아오기	컵의 물을 수조에 담기	물을 ❷ [ ] 모은 편이 승리

정답 ❶ 물 ❷ 많이

24 여름의 모습 그리기

✦ 다음 그림일기를 읽고, 빈칸에 알맞은 말을 쓰세요.

20○○년 ○월 ○○일 날씨:
오늘은 할머니 댁에 놀러 갔다. 날씨가 엄청 더웠는데
❶ [ ]를 틀어 놓고 ❷ [ ]을 먹었더니
금방 시원해졌다.

정답 ❶ 선풍기 ❷ 수박

23 여름을 몸으로 표현하기

✦ 다음 어린이들이 표현한 여름의 모습을 보고, 사다리를 타고 내려가 빈칸에 알맞은 말을 쓰세요.

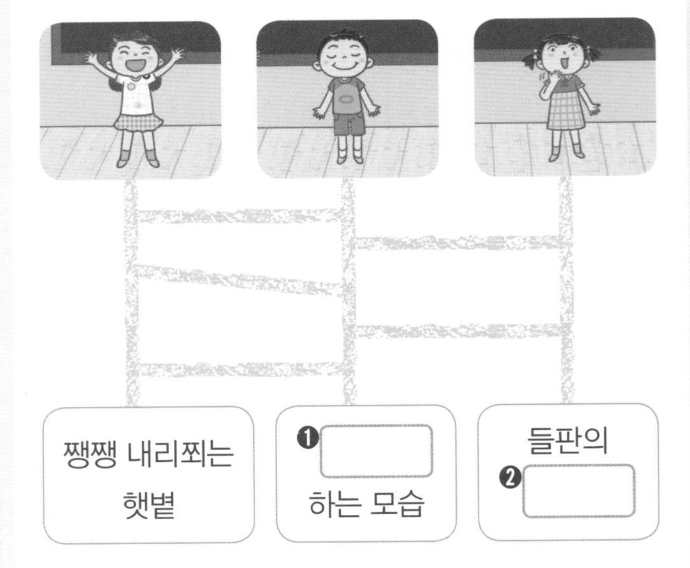

정답 ❶ 부채질 ❷ 나무

가족과 친척 무리 짓기 ①

✚ 나만의 기준을 정하여 가족 카드를 비슷한 것끼리 무리 짓고, 두 개의 집 모형에 분류하여 담아 보세요.

분류 기준 예 아버지와 관계된 친척과 어머니와 관계된 친척, 남자 친척과 여자 친척

가족 카드

▶ 점선을 따라 접어서 뜯어 쓰세요.

가족과 친척 무리 짓기 ②

집 모형

-·-·- 밖으로 접는 선 ▨ 풀칠하는 면

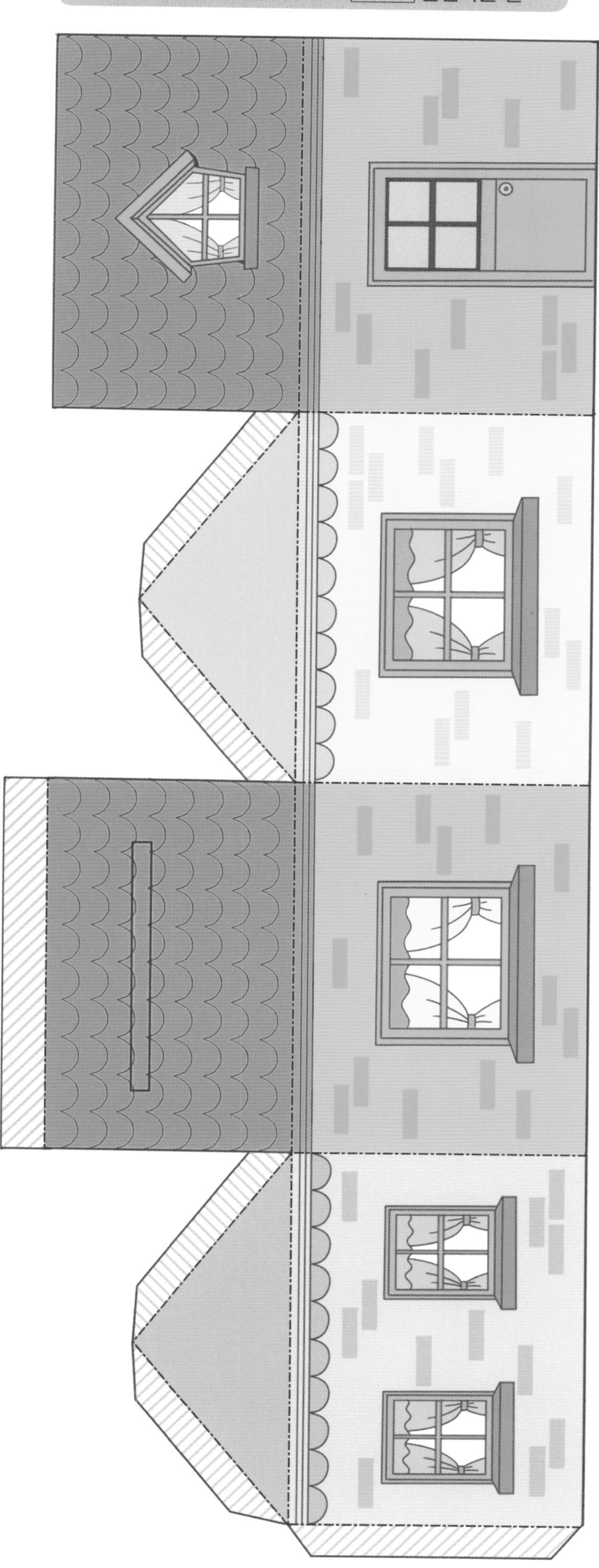

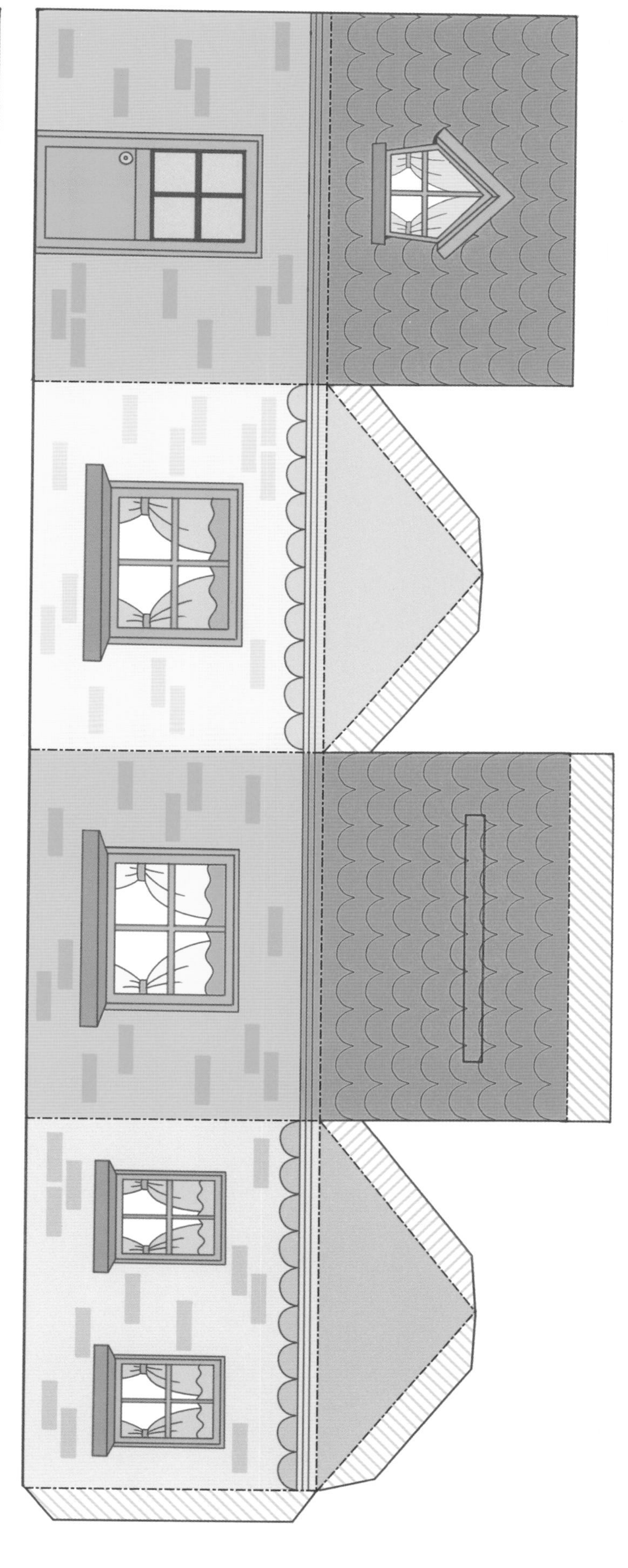

▶ 점선을 따라 잘라서 붙여 쓰세요.

작은 책 만들기

✦ '우리 가족 행사'를 주제로 작은 책을 만들어 보세요.

·········· 안으로 접는 선　　－·－·－ 밖으로 접는 선

만드는 방법

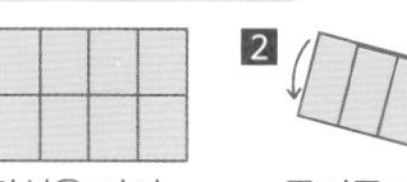

1. 점선을 따라 접고 펼쳐요.
2. 종이를 가로로 접어요.
3. 위 모양이 나오도록 만들어요.
4. 종이의 양끝을 잡고 모아요.
5. 종이를 한 방향으로 몰아 책을 만들어요.

월　　일

월　　일

월　　일

1 월　25 일

사랑하는 할머니의 생신날 우리 가족과 고모네 가족이 모두 모여 축하해 드렸어요.

월　　일

우리 가족 행사
작은 책 만들기

이름:

월　　일

▶ 점선을 따라 접어서 뜯어 쓰세요.

여름 도구 만들기

+ 여름에 사용하는 생활 도구 중 색안경과 선 캡을 만들어 보세요.

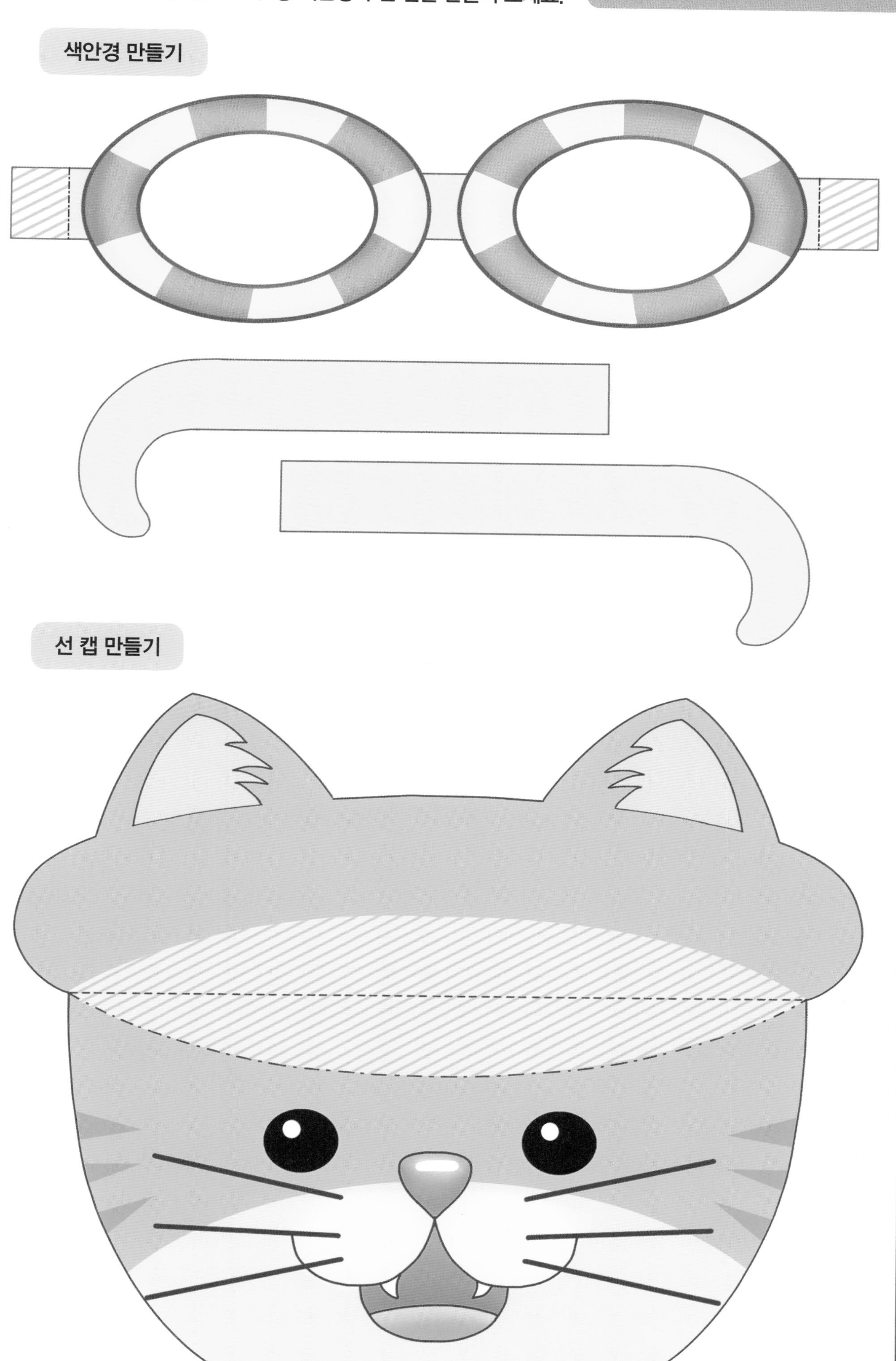

▶ 점선을 따라 접어서 뜯어 쓰세요.

칠교 놀이하기

✦ 다음 여름 풍경에서 팥빙수와 나무 부분을 두 개의 칠교판 조각을 이용하여 완성해 보세요.

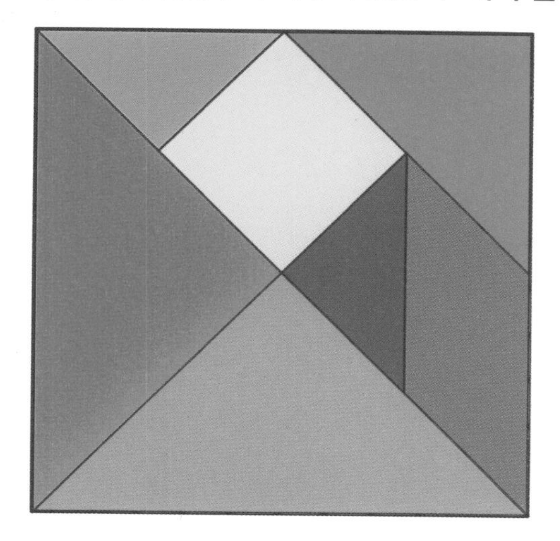

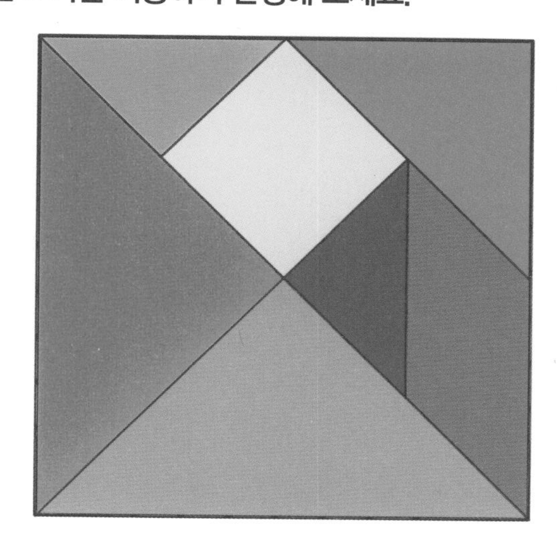

▶ 점선을 따라 접어서 뜯어 쓰세요.

붙임 딱지 1

본문 8~9쪽

    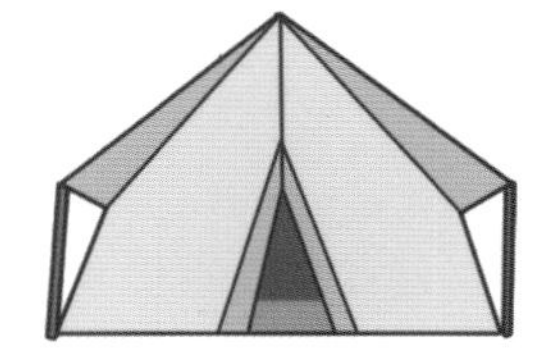

귀염둥이
사촌 동생 수하의
돌잔치에서

가족들과
즐겁고 신나는
캠핑장에서

본문 21쪽

본문 11쪽

본문 23쪽

본문 37쪽

▶ 점선을 따라 접어서 뜯어 쓰세요.

붙임 딱지 2

본문 40~41쪽

본문 43쪽
안녕히 가세요.
다녀 오겠습니다.
감사합니다.
안녕하세요. 저 은지예요.

본문 49쪽

본문 51쪽

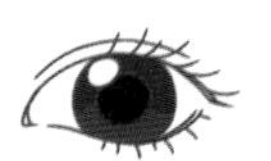

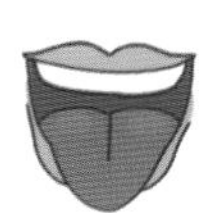
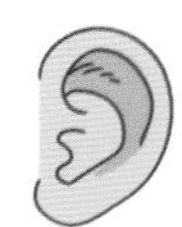

본문 57쪽

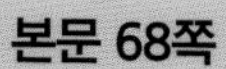
본문 68쪽

▶ 점선을 따라 접어서 뜯어 쓰세요.

붙임 딱지 3

본문 72~73쪽

본문 77쪽

본문 83쪽

본문 89쪽

본문 100쪽

▶ 점선을 따라 접어서 뜯어 쓰세요.

스케줄표
붙임 딱지

★ 하루 학습이 끝나면 스케줄표에 붙여 보세요!

좋아요	잘했어	멋있어	훌륭해	놀라워	뿌듯해
1일	2일	3일	4일	5일	특강

좋아요	잘했어	멋있어	훌륭해	놀라워	뿌듯해
1일	2일	3일	4일	5일	특강

좋아요	잘했어	멋있어	훌륭해	놀라워	뿌듯해
1일	2일	3일	4일	5일	특강

좋아요	잘했어	멋있어	훌륭해	놀라워	뿌듯해

★ 필요한 곳에 붙여 보세요!

좋아요	잘했어	멋있어	훌륭해	놀라워	뿌듯해

좋아요	잘했어	멋있어	훌륭해	놀라워	뿌듯해

▶ 점선을 따라 접어서 뜯어 쓰세요.